tenues à distance de l'écriture
aussi bien que de nos corps

les éditions de la pleine lune
se veulent un instrument
au service de la parole des femmes
pour explorer notre imaginaire
nommer le non-dit
de notre identité singulière et collective

l'éditrice

Les éditions de la pleine lune
C.P. 188
Succursale de Lorimier
Montréal H2H 2N6

Maquette de la couverture:
Danielle Denis

Illustration de la couverture:
«Anaïs Nin à New York, en 1971», photographe: Jill Kre-
mentz

Photocomposition:
Photocomposition Tréma Inc.

Distribution:
Prologue
2975, Sartelon
Ville St-Laurent
Québec H4R 1E6
Tél.: 332-5860 (ext) 1-800-361-5751

Réplique Diffusion
66 rue René-Boulanger
75010 Paris, France
Tél.: 206. 55.78

Anaïs, dans la queue de la comète

Jovette Marchessault

Anaïs,
dans la queue
de la comète

la pleine lune

ISBN 289024-041-X
©Les éditions de la pleine lune
Dépôt légal — Quatrième trimestre 1985
Bibliothèque nationale du Québec

à Linda Gaboriau et aux
femmes de ma génération

Anaïs, dans la queue de la comète a été créée au théâtre de Quat'Sous en septembre et octobre 1985.

Direction artistique: Louise Latraverse
Mise en scène: Michèle Magny
Assistante: Monique Richard
Costumes et décors: François Laplante
Éclairage: Claude-André Roy
Directeur de production: Jean-Pierre St-Michel

Anaïs: Andrée Lachapelle
June: Patricia Nolin
Miller: Guy Nadon
Otto Rank: Jean-Louis Roux
Artaud, l'acteur: Hubert Gagnon

Anaïs, dans la queue de la comète
pièce en onze tableaux

Époque:
De la fin des années quarante au 14 janvier 1977, date de la
mort d'Anaïs Nin... Mais le temps de la pièce ne se déroule
pas dans un ordre chronologique... Il y a des bonds dans le
temps, comme si les protagonistes chevauchaient une comète...

Lieu:
En Amérique, dans le studio d'Anaïs Nin, à Los Angeles...
Et dans la mémoire de chacune, de chacun...

Protagonistes:
Anaïs Nin, June Miller, Henry Miller, Antonin Artaud (l'acteur), Otto Rank.
Mais les protagonistes incarneront aussi des doubles: June
Miller sera aussi une infirmière, une névrosée et une analyste; Henry Miller, un chirurgien; Artaud (l'acteur), un chirurgien, un commis-livreur, un quidam, la mère d'Anaïs, un
journaliste; Otto Rank, un chirurgien, un névrosé, un agent
littéraire.

Voir les notes en fin de volume.

premier tableau

MA MÈRE, AYEZ-MOI EN VOTRE PARDON!

Dans le studio d'Anaïs à Los Angeles. Elle écrit son journal, elle répond à son courrier... C'est l'hiver 77, l'hiver de sa mort... On entend une sonnerie téléphonique et un répondeur qui s'enclenche...

LE RÉPONDEUR — *voix chaleureuse d'Anaïs:* Bonjour ou Bonsoir... Oui, c'est Anaïs Nin qui vous parle... Vous êtes branché sur mon coeur d'Amérique, mon coeur électronique... Confiez-lui un message... ou la plus belle de vos légendes ou le dernier conte défendu de vos rêves... Je vous promets de vous rappeler... Vous avez tout votre temps pour parler... Oui, oui, je vous écoute!

ANAÏS: Los Angeles, hiver 77... J'ai préparé le tome VII du Journal pour la publication... Je laisse des instructions précises à mon agent littéraire... En une semaine, j'ai répondu à une centaine de lettres... J'en jette dix, vingt par jour dans ma boîte aux lettres... Je ne laisse jamais une lettre sans réponse! Je réponds sur des cartes violettes pour les réveiller... *Elle prend une lettre, puis une autre qu'elle va lire...* «Aidez-moi! Donnez-moi de votre potion guérisseuse! Cette souffrance dure depuis si longtemps... Enveloppez-moi dans votre amour.» *Autre lettre...* «Je veux écrire depuis toujours... mais mon mari, mes enfants... Je travaille soixante heures par semaine... Où trouver le temps pour un voyage intérieur? Le temps qui passe, passe, me réveille la nuit... Aidez-moi!» *Autre lettre...* «Je n'ai jamais aimé personne... sauf mon petit chien quand j'étais une petite fille... En amour, on dirait que nous n'avons qu'un droit: celui de perdre! Existe-t-il sur la terre, un endroit où la mort n'est pas au travail?» *Elle prend d'autres lettres...* «Sauvez-moi! Aimez-moi! Je me sens coupable, je suis déprimée...» «Comment surmonter cette peine...» *Sonnerie du téléphone et voix de June incarnant une des patientes d'Anaïs...*

JUNE: Bonjour Anaïs... C'est Nancy... Comme

j'aime votre message... Votre coeur d'Amérique a tout à fait raison... Les livres de Carson McCullers sont remarquables... «Il y a celui qui aime et celui qui est aimé... Celui qui aime peut-être un homme, une femme, un enfant, n'importe quelle créature au monde... La valeur, la qualité de l'amour, quel qu'il soit, dépend uniquement de celui qui aime...»[1] *Un temps*... Anaïs, ma vie est un enfer... Je vis avec un sadique... Il me regarde comme s'il pensait à me dépecer... Il fait l'arbre généalogique de ma famille dix fois par jour... Il me répète du matin au soir qu'on ne vit pas longtemps dans ma famille... Il me regarde avec ce sourire qui me brise... il veut se débarrasser de moi, il veut me rendre folle... Folle! Cruauté mentale? Tout au plus, une excuse dans les affaires de divorce... Les sales affaires de divorce! J'ai peur Anaïs. Mais je résiste, je refuse de descendre dans la vase, dans cette matière gluante qui étouffe les cris d'agonie... Et s'il ne réussit pas à me faire interner, à m'empêcher de participer à Sa vie, à la Vie, que va-t-il m'arriver? Norman Mailer a poignardé sa femme... William Burroughs a tué la sienne d'une balle dans la tête... Ils sont devenus des héros! On dirait que c'est le plus court chemin pour devenir un héros national en Amérique... Il faut que je vous vois... Téléphonez-moi, Anaïs!

ANAÏS: Répondre... Répondre... Chaque être en détresse a des droits sur moi... Ne jamais bâillonner ceux qui crient... *Répondant à une lettre:* Bien que je sois perpétuellement en tournée de conférences qui m'épuisent, je désire répondre à votre lettre si éloquente... Oui, oui, nous dormons repliés sur des monstres familiers: l'angoisse, la culpabilité... Je connais ce sentiment... J'ai connu les brumes, les dépressions... Mais j'ai aussi connu les éclaircies soudaines... En vous lisant, j'ai senti votre force intérieure... Ne vous découragez-pas! Votre grande force vitale va trouver sa nourriture... En ce qui me concerne, c'est souvent un livre, ouvert au hasard, qui m'a donné cette transfusion de vie... Je dois tant à tant d'écrivains. Connaissez-vous l'oeuvre de Violette Leduc? Jadis sa mort m'a frappée en plein coeur... Comme si un être cher m'abandonnait, soudainement... J'admirais son courage, son honnêteté extraordinaire et son style: un style merveilleux qui me saisissait de bonheur chaque fois que j'ouvrais un de ses livres... Parce qu'elle a osé parler ouvertement de sa sexualité, les critiques l'ont réduite en poussière ou ignorée, alors que l'immoralité des politiciens ne choque personne... N'ayez plus aucune crainte pour votre santé mentale...

Son agent littéraire, incarné par Otto Rank, s'avan-

ce vers elle.

OTTO: Des lettres, encore des lettres... Vous allez vous épuiser!

ANAÏS, *rieuse:* Je ne vous entends pas, je ne vous écoute pas!

OTTO, *rieur:* C'est vrai, vous n'écoutez jamais personne...

ANAÏS: Où en serais-je si je les avais écoutés? Tut, tut, tut, écrire sur soi... Introspection et obsession! Veuillez supprimer ce Je narcissique, plein de conséquences... Un jour, l'un d'eux m'a dit que le *Journal* n'était rien d'autre qu'un étang pour Narcisse... je lui ai répondu que je n'avais jamais vu «un étang pour Narcisse où se reflètent un millier de personnages».[2]

OTTO, *jouant un peu au Père Noël:* Voici un contrat de traduction avec le Japon! Après l'Allemagne, la Hollande, la France...

ANAÏS: Mon amie, mon analyste, disait que la publication du *Journal* me mettrait en contact avec l'univers... *Désignant les lettres:* Des femmes enceintes et seules m'écrivent... Des femmes qui travaillent dans des bureaux, des fermières, des fugueuses, des dépressives, des révoltées m'écrivent pour me dire que je parle en leur nom. Le Journal soigne des dépressions... D'authentiques jeunes écrivains me soumettent leur manuscrit... Des femmes qui ont quitté l'Amérique pour s'exiler en Grèce, en France, au Tibet m'écrivent, m'envoient des dessins, des contes...

OTTO, *prenant une lettre au hasard, lisant:* «Je vivais dans le passé. Les belles années d'autrefois me suffisaient car je ne croyais plus à l'avenir... Mais la lecture de votre Journal m'a rendue au temps présent et de nouveau je sens en moi une vie profonde... Comme si tout mon être coulait, ainsi qu'une rivière dans un lit élargi. La semaine dernière, j'ai décidé d'entreprendre le voyage auquel je rêve depuis longtemps: voyez-vous, toute ma vie j'ai rêvé qu'un jour je me tiendrais debout, au pied du Kilimanjaro. Je pars dans quelques jours. Je vous enverrai une carte postale. Je vous embrasse et je vous serre sur mon coeur. Une grand-mère de soixante-quinze ans...»

ANAÏS: Je m'enflamme! Je m'enflamme!

OTTO: Comment ne pas s'enflammer quand on rencontre la reconnaissance et la compréhension! *Doutant*. Quand même... les lettres que vous recevez ne sont sûrement pas toutes désintéressées...

ANAÏS: Je ne reçois jamais de lettres simplement flatteuses ou intéressées. Toujours elles me témoignent amitié, reconnaissance... Même les plus sombres! Ce qui m'épuise, ce sont ces tournées de conférences... Où est donc Anaïs? Dans un avion qui vole vers New York, Chicago, Londres, Montréal, Détroit, Mexico... J'ai peur de me répéter, de faire une performance de perroquet alors qu'il faut, à chaque conférence, créer quelque chose de nouveau...

OTTO: Je vais annuler toutes les conférences... Et les interviews?

ANAÏS: Les inverviews... Toujours les mêmes questions... Vous ne portez pas de soutien-gorge... C'est un acte politique? Non, c'est parce que mes seins sont trop petits... Pourquoi les féministes radicales vous attaquent-elles? Pour les féministes radicales, je suis trop traditionnelle, conformiste... Trop féminine! Trop esthète! Anaïs Nin, notre Mère en Esthétique, dit l'une d'elle pour se moquer...

Le monde, un monde que je trouve de plus en plus terrifiant, est rempli de rôles que nous jouons, femmes ou hommes... De rôles souvent appris avec peine! L'erreur des radicales, c'est de refuser de reconnaître que certains problèmes sont personnels, psychologiques, affectifs et non politiques... Mais le mouvement féministe est un mouvement révolutionnaire irréversible!

OTTO: Après votre dernière opération, les plus radicales ont donné de leur sang... D'autres vous ont apporté des fleurs, des vêtements multicolores...

ANAÏS: Des pulls de laine qu'elles avaient tricotés pour moi... Des poèmes... Oh, comme je voudrais vivre ma vie une deuxième fois!

OTTO, *jouant à l'interviewer:* Que pensez-vous de la maternité?

ANAÏS: Et vous, que pensez-vous de la paternité? Les femmes ne devraient jamais se sentir obligées de répondre à ce genre de questions. C'est une définition dépassée de ce qu'est censée être une femme.

OTTO: Quand publierez-vous le dernier tome du *Journal*?

ANAïS: Cher agent littéraire, voilà une question pertinente... *Elle lui remet un épais manuscrit.* Je vous laisse des instructions précises...

OTTO: Nous le publierons rapidement...

ANAïS: Je veux qu'il paraisse après ma mort seulement...

OTTO: Pourquoi attendre?

ANAïS: Vous n'aurez pas longtemps à attendre!

OTTO, *en état de choc... confus:* Je ne me rends pas compte... *Révolté.* Toute cette reconnaissance vient trop tard!

ANAïS: Au contraire, elle m'est d'un grand soutien. Je n'ai pas peur de la douleur qui est très grande, mais j'ai peur de cette boule de radium que les médecins ont implantée dans mon corps... Je redoute ces interventions chirurgicales, ces anesthésies qui me laissent l'esprit confus, m'affaiblissent...

OTTO: Je me suis volontairement aveuglé... Anaïs, Anaïs, je vous croyais immortelle! Il y a de l'espoir, n'est-ce-pas?

23

ANAÏS, *évitant de répondre, elle se rend à son répondeur téléphonique qu'elle branche:* J'ai appris à aimer mon «standard téléphonique»... Le répondeur me garde en contact avec un univers en expansion... avec la vie internationale, cosmopolite des artistes! Je dois vous quitter... J'ai rendez-vous avec une méditation et des médecins... Qui sait, j'aurai peut-être le temps d'un vertige au pied du Kilimanjaro... Au revoir...!

OTTO, *en s'éloignant:* Au revoir... *Il sort rapidement, visiblement bouleversé, emportant avec lui le manuscrit du dernier tome du Journal.*

Anaïs retourne à sa table de travail. Elle continue sa réponse à la lettre que l'arrivée d'Otto Rank avait interrompue.

ANAÏS: Vous semblez mener une vie pleine, intense... Quelquefois, il m'arrive de penser que ce qui nous arrive possède une grande avance sur nous... Envoyez-moi ce que vous écrivez... Je le lirai avec plaisir. *Elle revient à son journal.* La semaine dernière j'ai rencontré une femme qui ressemblait à June... Le même corps voluptueux... *Elle cesse d'écrire.* Une présence magnétique! Elle avait le pouvoir d'animer l'espace, de réchauffer

l'air… June… June… *June apparaît*. Comme pro-
tégée par les vents du ciel, les fleuves clairs, elle a
pénétré en moi et n'en est jamais ressortie… Une
mythomane! Rien d'autre qu'une mythomane, disait
Henry Miller! Il n'a rien vu, rien compris. *Miller
apparaît*. Il ne pensait qu'à la punir de mener une
vie aussi libre que la sienne… Si elle s'était in-
ventée une naissance mythique, dans une étable,
comme le Christ, c'est parce qu'elle voulait se créer
une vie infiniment grande, disait Otto Rank, *Otto
Rank apparaît*. June croyait à la gloire des pauvres!
Il y a ceux qui se taisent… Il y a ceux qui mur-
murent… June criait! Elle criait aussi fort qu'Antonin Artaud… Perdue en son rêve intérieur, elle
prodiguait sa confiance aux artistes, aux chiens errants… June vivante? June est morte la nuit où elle
a lu le manuscrit du *Tropique du cancer*. Un temps.
Mon amour pour les femmes… Je n'ai jamais
répondu à cette question… Mon coeur bat fort…
Mon coeur s'angoisse… Étrange jeu de forces…
Cet amour me secoue si profondément… Je sens le
vent qui propage les incendies!… Oui, j'ai désiré
June! Si autrefois elle m'avait initiée! Depuis toujours, mon amour, ma sensualité ont été polarisés
par les hommes… J'ai souvent imaginé ce qui serait
arrivé si une femme m'avais offert une autre vie…
C'est peut-être le seul plaisir à côté duquel je suis

passée... *Les autres protagonistes sont apparus à chaque fois qu'Anaïs a prononcé leur nom... Ils sont déguisés en chirurgiens et infirmière.* Le cortège de la mort! C'est une fatalité... Vous l'amenez infailliblement avec vous. Vos têtes me donnent envie d'avorter!

OTTO: Avorter? Quel vilain mot!

ANAÏS: Légitime défense, docteur!

ARTAUD, *s'adressant aux autres:* Galimatias ! Elle a peur de mourir!

HENRY: Mais non! Elle rit en elle-même... Regardez-la!

OTTO: Riez-vous?

ANAÏS: Rire est une façon de naître qui en vaut bien une autre!

HENRY: Elle rit des hommes!

JUNE: Elle vous ignore... Elle rit pour elle-même:

ANAÏS, *à June:* Si vous avez une âme, prêtez-moi

votre peigne! *June lui tend un peigne et Anaïs se coiffe.*

JUNE: Si je pouvais rire comme vous!

ANAÏS: Certains disent que le rire appelle la danse... Autrefois j'ai dansé des danses folkloriques et nombriliques... Je dansais pour survivre, pour donner naissance à mon *Journal*...

JUNE, *mettant des lunettes noires:* Autrefois j'étais entraîneuse dans un bar à New York. En dansant, je relevais mes jupes, je frottais mon publis sur leur ventre. Ça les faisait rire...

HENRY, *mettant des gants de chirurgien:* Autrefois j'étais un cannibale: j'allais chercher ma viande chez les putes. Elles ont le con romanesque!

ARTAUD, *mettant un masque de chirurgien:* Autrefois, elles ont massacré ma chair jusqu'à ce qu'il en sorte des vers, de la vermine spirituelle... Une cochonnerie!

OTTO, *mettant un casque de chirurgien:* Autrefois j'ambitionnais une carrière littéraire, ne jamais dormir, écrire dans l'imminence du résultat final, donner à la littérature ses armes de liberté suprême...

ARTAUD, *exaspéré:* Mais qui est-elle pour nous confesser?

ANAÏS: Au baptême catholique: Juana Edelmira Antolina Rosa Nin y Castellano... Mes ancêtres étaient juifs, maures, africains... Mes amis m'appellent Anaïs...

ARTAUD: Vous n'êtes qu'un chou... le néant! Je veux votre nom véritable, fille de Satan...

ANAÏS: Vous posez trop de questions, Monsieur...

ARTAUD: Seulement aux grands esprits... Je vous en prie...

ANAÏS: Je suis la Vaporeuse... Celle que sa mère a cachée dans la couronne de la Méduse... Je pousse mes ventouses vers le rêve...

ARTAUD: Chienne, Oh! Chienne, je sens vos pattes avant sur ma poitrine...

ANAÏS, *rompant le charme:* Mais les autres sont dans le printemps, docteur.

OTTO, *s'approchant, tâtant le ventre d'Anaïs:* Il faudra une césarienne. *Aux autres:* Qu'en pensez-vous?

Ils se retirent pour se consulter. June reste là, près d'Anaïs qui veut lui rendre le peigne.

JUNE: Je vous le donne!

ANAÏS, *riant:* Ça vaut bien une médaille!

JUNE: Pour qui riez-vous? Pour vous-même... ou pour la petite tête?

ANAÏS: Sorcière!

JUNE: La petite tête de la troisième rangée... Là-bas, au fond du ciel...

ANAÏS: Je la vois. Elle sourit au soleil... Elle se roule dans les nébuleuses. *Violente contraction... June l'aide à s'allonger sur sa table de travail.*

JUNE: Où est le père?

ANAÏS: Nous sommes orphelines... Il déteste la petite tête... C'est un faux-père, égocentrique et jaloux…

OTTO, *qui revient avec les autres, s'adressant à June:* Écartez-lui les jambes… *June s'exécute.*

HENRY: Le martyrologue féminin, le trolley-bus utérin…

ARTAUD: Les femmes sont immortelles… Longtemps je l'ai cru!

OTTO, *auscultant:* Je n'entends plus respirer l'enfant. Poussez! Poussez de toutes vos forces!

ANAÏS: Je suis épuisée… Donnez-moi de la musique, de l'eau, de la musique…

OTTO: Faites le vide, serrez les dents, poussez! Mais poussez donc! Vous n'êtes pas épuisée! POUSSEZ!

JUNE: Ça va, Madame?

ANAÏS: Ça va, Madame… Ça va Madame… Ça va Madameeeeeeeeeeeeeeeeeeeeeeeeeeeeeee!

OTTO, *hurlant:* Vous ne poussez pas de toutes vos

forces. Je le sais!

ANAÏS: Un petit morceau de la misère humaine... Je veux le garder, le protéger. Il est à moi!

ARTAUD: Elle est dans le mental... Je vous en prie, faites cet effort pour nous. Avec la volonté, on arrive à tout.

HENRY: Nous en avons pour la nuit...

OTTO, *à June:* Mettez votre genou sur son estomac... Vous ne poussez pas, vous ne poussez pas!

ANAÏS: Je ne vous le donnerai pas... Sale boche! Nazi!

OTTO: Vous êtes folle! Je suis votre docteur... Un immigré, comme vous!

ANAÏS: Votre visage m'épouvante!

OTTO: Si elle ne pousse pas, elle va mourir. Ça fait quatre heures que ça dure!

ARTAUD: Madame, vous êtes un esprit de colère, contracté et souffrant. Vous infectez votre corps et c'est très laid, Madame, c'est très laid...

JUNE: Donnez-moi la petite tête, je vous en prie...

ANAÏS: Que feriez-vous d'un cadavre?

OTTO, *exaspéré, repoussant June, appuyant de toutes ses forces:* Ça va la faire pousser!

ANAÏS, *se redressant avec un hurlement animal:* Je vous interdis de me toucher avec vos mains d'abattoir!

ARTAUD: Nous ne sommes pas des saints, Madame! Que voulez-vous de nous?

ANAÏS: La grandeur! Un instant de grandeur pour la misère humaine.

OTTO: Quelqu'un a déjà dit que les bons médecins se font déchirer par leurs malades...

ANAÏS: Votre arrogant savoir universitaire, vos expérimentations sur les humains et sur les bêtes... Vous êtes les fils de la Malédiction! *À June:* Je pousse! Ma Mère, ayez-moi en votre pardon! Je m'effrite, ma Mère... On va me servir aux chiens errants! *Elle se délivre, June reçoit l'enfant, l'enve-loppe rapidement; tous s'approchent, regardent... sauf Anaïs.*

HENRY, *retirant ses gants:* Cinq mois... la peau et les os...

OTTO, *retirant son casque:* Six mois... Il a ses mains, ses pieds...

ARTAUD, *retirant son masque:* On dirait une minia-ture mexicaine...

ANAÏS, *à June:* Donnez-le moi, montrez-le moi!

OTTO, *à June qui le consulte des yeux:* Surtout pas! Elle est en état de choc, elle ne le supporterait pas! *Il entraîne June et les autres vers la sortie.*

ANAÏS: Montrez-le moi! Je vous en prie!

JUNE, *retirant ses lunettes et s'arrêtant au moment de disparaître avec les autres:* C'était une petite fille... *Elle sort.*

LE HÉROS, C'EST L'ARTISTE!

Anaïs écrit son journal. Puis Henry fait son entrée, survolté. Il est vêtu comme un gangster des années quarante, à l'américaine, imperméable couleur mastic, chapeau feutre, foulard, pantalon sans aucun faux pli. Il porte des lunettes qu'il enlèvera et un volumineux manuscrit.

ANAÏS, écrivant dans son journal, relisant: Il faut que le manuscrit de Henry soit publié... Trouver l'argent, câbler les frais d'impression à l'éditeur... Il suffirait peut-être d'économiser sur les vêtements — je porte le même vieux manteau d'astrakan depuis si longtemps — économiser sur les mets raffinés, les parfums, les concerts... Il est un écrivain corrosif. Explosif! Il va soulever des passions, faire naître des enthousiasmes... Henry est le seul écrivain américain à utiliser un langage surréaliste, à circuler dans le labyrinthe avec la foi naïve d'arriver quelque part... Une comète! Nous sommes si différents l'un de l'autre... Son appétit de cannibale m'empêche de sombrer dans cette dépression que je traîne en moi depuis toujours. Henry ne craint qu'une chose: mourir de faim! Je n'ai qu'une crainte: perdre l'amour de ceux que j'aime...

HENRY, *qui fait son entrée:* «Le véritable héros, c'est l'artiste!»[1]

ANAÏS: «Les écrivains sont des lâches!»[2] Ils ne se battent jamais sur place, à l'instant même... Plus tard, plus tard, dans un livre qui dira toute la vérité littéraire!

HENRY: Regardez-moi, Anaïs! Je suis l'homme nouveau, celui qui est franchement plus à l'aise avec le pire!

ANAÏS, *moqueuse:* Et bien sûr, vous avez tué l'égo dans la matrice!

HENRY: Écrivez cela dans votre *Journal*: Henry Miller, le destructeur nécessaire — un joyeux mélange d'Attila et de St-Jean de la Croix... Non,

Cassandre, mettez Cassandre plutôt! Un pachyderme spirituel. Vie affective: nulle. *Effondré.* J'ai fait établir mon horoscope, Anaïs: à minuit, ce soir, Mars et Pluton, conjuguées à Saturne, entreront dans les maisons de ma naissance. Et dans la sixième maison, Saturne sera à son zénith. Il vaudrait mieux que je me jette en bas du pont de Brooklyn...

ANAÏS: Vous oubliez que Mars n'a qu'une alliée! Vénus!

HENRY, *l'enbrassant:* Ma Vénusienne... Ma Neptunienne... Comme vous savez faire taire en vous l'égocentrisme, l'individualisme: l'humanité d'abord! Et votre âme angélique se meut partout sur la mappemonde... De Tombouctou à New York, elle nage dans l'océan des inengendrés!

ANAÏS: *triste:* Partout chez elle... Partout étrangère...

HENRY, *déposant cérémonieusement un manuscrit aux pieds d'Anaïs:* Je dépose la trentième version de mon chaos à vos pieds. Le compte rendu de mon martyre avec les femmes, le minerai brut dont sont faits les aérolithes! (*Doutant*) J'en suis certain!

ANAÏS: Les tourbillons de votre estomac, les sonne-ries électriques de votre intestin, votre sexe...

HENRY, *rectifiant:* Ma queue! Qui adore les vagins profonds comme la Mer des Sargasses. Ma vie, tou-te ma vie, dans un style fluide et odorant! Bref, un monument de sincérité. *Remarquant la fatigue d'Anaïs et pointant un doigt accusateur vers le télé-phone.* Évidemment, il a sonné toute la nuit!

ANAÏS: Ils ont besoin de moi. Et vous, où étiez-vous, toute la nuit?

HENRY: Une virée dans mon vieux Broadway avec June. Nous avons surtout parlé de vous... *Pointant le téléphone.* Téléphoner la nuit à son analyste... Tous ces vieux cons! Vos patients vous tueront, Anaïs!

ANAÏS: Leur confiance me bouleverse. Je les aime!

HENRY: Des larves, des parasites, de la morve!

ANAÏS: Ils espèrent le soleil de la résurrection!

HENRY: Débarrassez-vous d'eux! Quand déciderez-vous enfin d'être une artiste à part entière! Pourquoi perdre votre temps avec ces vampires!

ANAÏS: Je suis une artiste! Tous les soirs dans mon journal…

HENRY: Votre journal, vos patients… Ils étouffent l'artiste en vous. Un jour, je le clouerai aux murs de ce studio, votre journal!

ANAÏS: Mon journal, c'est mon extase, ma jouissance. Mes patients assurent mon indépendance financière…

HENRY: L'argent… J'ai fait de vous ma légataire universelle: dans vingt ans mes manuscrits vaudront leur pesant d'or. Je serai mort et vous serez riche!

ANAÏS: Je veux être libre, écrire, publier, participer à la vie culturelle de l'Amérique.

HENRY: Alors cessez de distribuer votre compassion à tous les ratés, les boîteux de la création. Qu'ils crèvent! Vous êtes…

ANAÏS: Une idéaliste?

HENRY: Rappelez-vous l'antique définition chinoise

de la sagesse...

ANAÏS: La destruction de l'idéalisme...

HENRY: Surtout de l'image idéalisée que nous voulons toujours imposer à autrui.

ANAÏS: Mes patients cherchent un sens universel à leur vie, à leur souffrance. Ils luttent contre l'auto-destruction, l'indifférence. Vos Chinois disent aussi que le futur n'est que l'ombre du passé.

HENRY, *jubilant:* Mes Chinois ont toujours raison. Lao-Tseu, Confucius... des acrobates de la pensée cosmique! Vous verrez, vous verrez, Anaïs, je finirai mes jours là-bas, sur les sommets du monde, méditatif, silencieux, éclairant de mon oeil occipital les stupidités et les futilités de l'univers.

ANAÏS: Un sage chinois? Je vous croyais en pleine période Knut Hamsun!

HENRY: Pfffftttt... Dépassé... Trop pur, trop désincarné. César Borgia, Gilgamesh et Henry VIII me tentent beaucoup. François Villon aussi...

ANAÏS: Vos Chinois...

HENRY, *agacé:* Que disent-ils encore, ces imbéciles?

ANAÏS: Que celui qui a plus d'un moi est fou.

HENRY, *s'inclinant:* Je me sens plein d'admiration pour l'agilité de votre esprit. D'ailleurs, je vous ai toujours considérée comme mon égal. Toutes les femmes que j'ai connues vous sont inférieures: hystérie utérine! Et que Dieu me jette en enfer si je ne dis pas la pure vérité.

ANAÏS, *ramassant le manuscrit:* Où en êtes-vous avec votre éditeur?

HENRY: C'est un lâche! Il a peur de publier Henry Miller.

ANAÏS: Il a peur de la censure. Il fut un temps où on brûlait les éditeurs...

HENRY: C'est vrai. Celui de Rabelais, Étienne Dolet, fut brûlé pour avoir imprimé et édité *Pantagruel,* n'est-ce pas? Avant de quitter Paris, j'ai fait une petite visite à mon éditeur, histoire de le rassurer, de le stimuler. Mon cher Jack, lui ai-je dit, que craignez-vous donc? Vous savez bien que je ne vous laisserai jamais aller seul en prison. Nous irons ensemble! Vous auriez dû le voir, Anaïs... blanc comme un drap. Bien sûr, il a évoqué la fluctuation de la monnaie européenne, le manque de liquidités de la maison d'édition. Foutaise! Jamais, jamais je ne paierai pour être édité. Des délais, toujours des délais!

ANAÏS: Ces délais vous ont permis de tout remanier.

HENRY: Vous avez fait tout le travail. *Montrant le manuscrit qu'Anaïs tient dans ses mains.* Sauverez-vous aussi celui-là? Arriverai-je à dire ce qui me plaît sans entraîner la suppression de toute mon oeuvre par les hypocrites? Ai-je du génie, Anaïs?

ANAÏS: Vous avez du génie et je lirai votre manuscrit.

HENRY: Vous avez un sens étonnant de la forme et du rythme. Je veux que vous rédigiez la préface de ce livre...

ANAÏS, *qui feuillette le manuscrit, s'arrêtant:* Tenez, relisez ce passage…

HENRY, *relisant, rapidement:* Qu'est-ce qu'il a ce passage?

ANAÏS: Il est faux! Aussi faux qu'une annonce publicitaire.

HENRY: Je trouve au contraire que c'est bien enlevé. Vous savez, d'où je viens, on ne décernait pas de médaille de bonne conduite.

ANAÏS, *s'enflammant:* Ne faites pas de moi une moralisatrice. Ce passage est faux parce qu'il est gonflé de rhétorique. Vous dites au lecteur: regardez comme j'écris bien! Mais le personnage que vous décrivez, lui, n'existe plus. Vous confondez affectation et émotion.

HENRY: La langue est au service du récit.

ANAÏS: Dans le cas présent, il me semble qu'elle est uniquement au service de votre égomanie.

HENRY, *riant, mais un peu mal à l'aise:* Égomaniaque? Moi? Je suis Job, le crabe géant, assis sur ses excréments, bouffant des pécadilles, parfaitement débile mais d'une honnêteté rigoureuse. Et Otto Rank, lui?

ANAÏS: Otto Rank est quelquefois si impersonnel que je me demande s'il est vivant.

HENRY, *dans une phase d'introspection, de remords:* Et moi, je me demande si ce que j'écris n'est pas, finalement, une immense annonce publicitaire pour Henry Miller. Je vends un produit: moi!

ANAÏS: Vous n'avez jamais fait de compromis en tant qu'écrivain, Henry. Votre livre va secouer l'Amérique; le voltage, le courant vital de votre imagination va les électriser.

HENRY, *extatique:* Je vous en prie, ne vous arrêtez jamais.

ANAÏS: Peu d'écrivains ont eu votre courage, votre franchise...

HENRY: Voilà le thème de votre préface: écrivain visionnaire, voltage, ondes de choc, un courage unique, n'a jamais fait de compromissions...

ANAÏS: Une préface… Mais je suis inconnue!

HENRY: Pas du tout! Vous avez publié ce livre sur D.H. Lawrence.

ANAÏS: Vous en êtes un des rares lecteurs. Pendant l'Occupation en France mon livre et mon éditeur ont disparu. *Plaisantant à moitié.* Peut-être que je ne l'ai pas écrit, ce livre… Un fantasme féminin. Le docteur Allendy disait que j'étais sa petite fille littéraire.

HENRY: Tant pis pour eux! Votre livre est remarquable, une vision féminine exceptionnelle. Écrivez cette préface, Anaïs! Je veux rejoindre les femmes, toutes les femmes. Si vous ne l'écrivez pas, je la ferai moi-même et je la signerai de votre nom!

ANAÏS: Je sais que vous en êtes capable.

HENRY, *hilare:* Oui. Sans hésiter. *Montrant le manuscrit:* Mes portraits de femme risquent de vous choquer. Je vous préviens.

ANAÏS: Vos portraits de femmes sont sans nuances. Vous les décrivez de l'extérieur…

HENRY: Mais je ne suis pas comme vous, je ne sais pas exprimer la tendresse. La colère est mon carburant de base et le meilleur doit cotoyer le pire: après le fumier, l'eau minérale!

ANAÏS: June, par exemple...

HENRY: June! Une véritable Attila femelle, un chien policier qui monte la garde auprès de mes manuscrits.

ANAÏS: Ça me semble normal, après tout, vous écrivez sur elle: June, Mona, Mara...

HENRY: La putain, la maquerelle! Je n'écris pas sur elle, j'écris sur moi, sur ma descente aux enfers! Une entreprise colossale: un homme de quarante-quatre ans, blême de terreur. Cet homme est-il intellectuellement mort? Sexuellement foutu? Les réseaux phosphorescents de la mort dans l'étang aux grenouilles, les serpents lubriques aux dimensions terrifiantes. J'écris la vérité, la supra-réalité, la réalité onirique. En crescendo, allegro fortissimo versus le con furioso! Qui-suis-je?

ANAÏS: Un démon américain, burlesque et philosophe, sincère et spontané...

HENRY: …un profiteur! Je profite de vous. J'ai la vocation du receveur: j'aide les autres à devenir généreux, magnanimes.

ANAÏS: Moi aussi je profite de vous, de votre mobilité, de votre confiance. Avant de vous connaître je doutais de l'artiste en moi…

HENRY: June veut vous rencontrer…

ANAÏS: Moi aussi…

HENRY: Elle insiste d'ailleurs. Méfiez-vous de ses tendances lesbiennes, elle essaiera de nous dresser l'un contre l'autre! Perfide et si belle, si fascinante.

ANAÏS: Je ne vous trahirai jamais, vous le savez…

HENRY: Et vous n'êtes même pas jalouse. Vous êtes incapable de blesser, de détruire. Moi, je ne pense qu'à ça!

ANAÏS: Pas avec moi!

HENRY: Avec vous, je suis à l'écoute des anges!

ANAÏS, *ironique:* Méfiez-vous de l'idéalisme,

Henry. J'ai, moi aussi, mes démons. Je les enferme dans mon journal. Partez maintenant, laissez-moi travailler. *Elle s'installe à sa table avec le manuscrit de Henry. Il l'embrasse et avant de sortir, décroche le téléphone... Anaïs veut protester.*

HENRY: Shhhhhhhh... Vous êtes partie, envolée... Peut-être par la déchirure de la Voie Lactée... June, June, elle viendra... Avec un poignard, du vitriol et des fleurs. Vous verrez, elle se prend pour un personnage des romans de Dostoïevski. *Il sort, assez euphorique.* Une mangeuse de couilles! Une mangeuse de couilles!

Anaïs remet le récepteur du téléphone en place.

LE RÉPONDEUR, *(voix chaleureuse d'Anaïs):* Bonjour ou Bonsoir. Oui, c'est Anaïs Nin qui vous parle. Vous êtes branché sur mon coeur d'Amérique, mon coeur électronique. En mon absence, il vous écoute. Ne soyez pas intimidé ou déçu, je vous en prie. Confiez-lui un message, votre nom, un numéro de téléphone... ou la plus belle de vos légendes, ou encore le dernier conte défendu de vos rêves.

OTTO: Allô! Anaïs, c'est Robert... Le romancier sans avenir... je célèbre mes quarante ans dimanche prochain par un banquet romain. Bien sûr, j'invite le tout New York littéraire! Ce sera absolument décadent, très chère. Et le menu sera à la hauteur: cervelles de canard, croupions de pigeon, boyaux d'oie, tétine de truie, veau gras sur bottes d'asperges... Nous boirons le vin de Bacchus dans des coupes de cristal. Votre présence est essentielle! Je veux vous faire rencontrer tous ces esthètes qui, parce qu'ils sont sans talent, s'imaginent avoir du génie. En ce qui concerne ma carrière littéraire, l'escalade est terminée: à quarante ans, le vieil homme prend sa retraite. Comme vous avez raison, très chère... Les critiques américains, disiez-vous, sont des adolescents qui cherchent à donner une stature définitive à des écrivains adolescents dont certains ne sont pas encore nés. Il existe un mot, ajoutiez-vous, pour l'amour des morts, mais il n'y en a pas pour l'amour américain du foetus en art.![3] Je vous cite fidèlement, n'est-ce-pas? Alors à dimanche, très chère... Oh! apportez votre masque à gaz, ce sera puant! Adios, Adios, amiga...

La ligne se ferme et aussitôt on entend sur bande magnétique la voix de June.

JUNE: Anaïs, Anaïs, c'est June... June Miller... *June apparaît. Elle porte une cape dans les tons*

violets, telle que décrite dans le tome I du Journal:
visage blanc, yeux maquillés, l'essence même du
théâtre... Sous sa cape, elle est tout en noir, bas
noirs troués, vieux souliers. Je n'ai pas connu mon
père...

troisième tableau

DEUX GORGONES FABULEUSES

June et Anaïs, face à face. C'est l'heure du coup de foudre...

JUNE: Je n'ai pas connu mon père: il nous a abandonnées, ma mère et moi, juste avant ma naissance. Un roi mage en fuite! Je suis née dans une étable en Roumanie. C'était, m'a dit ma mère, la nuit la plus froide de janvier... Plus tard, nous avons immigré dans ce fabuleux pays où tous les Juifs de l'Europe de l'Est entraient en contrebande... New York! New York! Des rues hallucinantes, surchauffées de nostalgie... Et moi, j'imaginais que j'étais reine et que j'habitais Babylone... Pour survivre, ma mère vendait des tapis d'Orient en lambeaux, des dentelles mangées par les mites et du poisson farci dans le ghetto. Chaque soir, je regardais ma mère laver son corps devant le lavabo... Les crevasses, la crasse des jointures, les mains noires, l'enflure des pieds, la peau du ventre déjà flasque... les rides, les rides, les gerçures, les veines virant au mauve... Et je pensais que son corps était abîmé pour toujours... Qu'on lui avait fait ça! «Parfois j'avais peur la nuit en songeant à la mort, à moi, à ma mère, et je souhaitais pouvoir m'adresser à quelqu'un... Je restais là à écouter les pas que ma mère dansait avec la mort...»[1] J'avais quinze ans quand je me suis agenouillée sur la tombe de ma mère... Depuis, je n'ai jamais cessé de mendier un amour éternel...

ANAÏS: Vous êtes une mendiante prophétique!

JUNE: Mendiante et crasseuse!

ANAÏS: Il me semble qu'il y a longtemps... Si longtemps... Depuis toujours peut-être...

JUNE: Pourquoi avons-nous attendu si longtemps?

ANAÏS: Je suis timide, June...

JUNE: Moi... honteuse...

ANAÏS: Honteuse! Comment la beauté, la fièvre, la

flamme...

JUNE: J'imaginais tout ce qu'on a dû vous dire de moi et je n'osais plus... Je viens de la rue, de la boue!

ANAÏS: Je vous connais à ma façon...

JUNE & ANAÏS, *simultanément:* Je voulais vous dire...

ANAÏS: Quoi? Quoi?

JUNE: Que je vous vénère!

ANAÏS: Que je vous admire!

JUNE, *incrédule puis méfiante:* Vous m'admirez? Vous admirez June Miller? Une illettrée... Une femme vulgaire et vaniteuse... Personne ne m'a jamais admirée: j'inspire le désir ou le mépris!

ANAÏS: Moi, je vous admire.

JUNE: Comment est-ce possible! Une femme ruisselante d'étoiles sous-marines comme vous... Une femme qui écrit! Je vous en prie, ne vous moquez pas de moi, Anaïs...

ANAÏS: La June que je connais est une femme témé-
raire qui brise les interdits, qui incendie tous les
ponts derrière elle, défiant la médiocrité et les mo-
ralistes. Vous êtes phosphorescente, comme arrivée
d'un continent lumineux. Je voudrais, comme vous,
bouleverser les êtres, regarder mes démons en face!

JUNE, *dans un élan, passant au tutoiement:* Tu le
feras et je te protègerai!

ANAÏS: Me protéger de qui, de quoi?

JUNE: De la laideur! De lui, de moi! Toujours, toujours, je le jure, tu pourras t'appuyer contre mon
épaule tendre...

ANAÏS: Une femme généreuse et romantique... La
vraie June!

JUNE: Une femme déraisonnable...

ANAÏS: Les passions ne sont jamais raisonnables!

JUNE, *prenant la main d'Anaïs, la serrant sur son
coeur:* Je voudrais souder ta main à mon corps...

Ainsi nous serions inséparables. Je ne te perdrais jamais. Sans toi, je ne pèse rien!

ANAÏS: Nous avons le même âge, le savais-tu?

JUNE: Je le savais... Mais toi, tu es née sous le signe des enchanteurs et des enchantements alors que moi je ne suis qu'une chèvre capricieuse qui se laisse traire sans bouger...

ANAÏS, *joyeuse:* Capricieuse et mystique!

JUNE: Personne n'aime les chèvres!

ANAÏS: Elles se lèvent, encore douces de sommeil, aux flancs des montagnes, s'arrachant aux valeurs matérielles, en route vers les sommets, frémissantes, regardant ce qui va peut-être les tuer en silence... Je te lirai *La Petite Chèvre de Monsieur Séguin*, un conte admirable de Madame Daudet, attribué à son mari...

JUNE: J'apprendrai la petite chèvre de Madame Daudet par coeur avant de mourir! Je suis une femme capable de mourir, tu sais...

ANAÏS: Tais-toi!

JUNE: Quand il mettra le point final à son manuscrit, je serai morte!

ANAÏS: Son livre est une transposition... une fiction!

JUNE: Un tombeau. La tombe où il m'enterre!

ANAÏS: June, June, ce n'est qu'un roman...

JUNE, *hurlante et vociférante:* C'est un meurtre! Il écrit ce livre grotesque pour m'assassiner. Je suis sa chair à littérature, son prétexte à ordures. Il me hait! Il me hait!

ANAÏS: Henry t'aime encore...

JUNE: C'est toi, la romantique! Henry Miller n'aime qu'une personne au monde: lui-même! Il s'aime tellement qu'il embrasserait son propre cul! *Un temps.* Il est ma plus grande douleur...

ANAÏS: Moi, c'est mon père... *Un temps.* Quelle est donc cette douleur qui a séjour en chacun de nous... Nous demandons à la vie ce qu'elle ne peut nous donner... Ce qu'elle ne nous donnera jamais. C'est peut-être notre façon de faire reculer un peu, un tout petit peu, le néant…

JUNE: Le néant… Je n'en connais qu'un, Anaïs: mon métier! Une entraîneuse, une taxi-girl à l'Orpheum Dance Palace et dans les boîtes homosexuelles de Greenwich Village… Il n'y a pas de danse trop ignoble pour June Miller… Ma danse de mort, talonnée par l'âge… par la peur de passer à côté du grand Amourrrrrrrr… Quand j'ai rencontré Henry, il n'était qu'un petit fonctionnaire à la recherche — comme tous les hommes — d'une couveuse artificielle. Mais… mais il parlait jour et nuit du moment où il laisserait tout tomber pour devenir un véritable écrivain. Il en parlait d'une façon si passionnée, si barbare que je me suis enflammée…

ANAÏS: Tu as eu en lui, dès le début, une confiance inébranlable et que rien, rien encore ne justifiait. Oui, June, tu es une mendiante prophétique…

JUNE: J'ai reconnu en lui, comme en toi d'ailleurs, un artiste!

ANAÏS: Qu'est-ce que c'est qu'un artiste?

JUNE: Un artiste c'est… une âme agissante! Tu dois

écrire, lui disais-je. Tu es fait pour créer contre la grande humiliation, contre la grande misère. Ton travail de fonctionnaire à la Western Union est pire que le bagne! Tu es fait pour écrire, pour nous libérer de l'hypocrisie, du silence. Écris, Henry Miller! Écris, je m'occupe de tout. Je connais toutes les ressources cachées de New York, j'ai des amis partout dans le ghetto et j'irai jusque chez les morts s'il le faut mais tu ne manqueras jamais de l'essentiel. Écris! Écris, tu es un artiste prêt à exploser, une bombe en exil! Mais d'abord, tu dois faire table rase et construire ton talent, ton génie, à partir uniquement de toi...

ANAÏS, *euphorique:* Tu me fais vibrer comme une harpe! Comment, comment sais-tu toutes ces choses?

JUNE: Je ne sais pas... Une connaissance du fond des âges, peut-être...

ANAÏS: Que disais-tu encore?

JUNE: Qu'il devait apprendre à vivre — et c'est le plus difficile — avec la peur inexprimée qu'il n'était peut-être pas un écrivain parce qu'il était incapable, pour l'instant, d'écrire le grand roman ou la grande pièce de théâtre qui secouerait l'Amérique. Tu le feras! Tu le feras quand tu seras prêt, Henry! Alors... rien, rien ne pourra empêcher le courant de passer. Tu dois te faire confiance comme je te fais confiance!

ANAÏS: L'âme agissante, c'est toi, June!

JUNE, *dans un élan:* Je veux tout te dire de ma vie... de mes ombres... de ma folie...

ANAÏS: Tu ne disais pas...

JUNE: Au grand Inquisiteur ténébreux? Non... Je mentais, je trichais, je dissimulais... Il voulait explorer ma vie avec sa lanterne sourde pour me juger, me condamner... Tu sais bien qu'il...

ANAÏS: Qu'il décrit tout de l'extérieur... Que les profondeurs de ta vie lui échappent...

JUNE: L'étrange, le beau ne l'intéressent pas...

ANAÏS: Il en souffre... Mais il ne l'avouera jamais!

JUNE: Avec toi, je respire en dehors de ma crasse... *Elles se touchent.*

ANAÏS: Tu es poreuse… transparente…

JUNE: Il dit que tu es belle… Tu es plus encore: fluide et cristalline… l'infini et l'indéfini…

ANAÏS: «J'avais essayé, voici longtemps, d'imaginer la vraie beauté; j'avais créé dans mon esprit l'image d'une femme comme toi.»[2]

JUNE: Je veux te conquérir!

ANAÏS: J'ai le vertige!

JUNE: Tu es enfièvrée!

ANAÏS: Donne-moi ta bouche!

JUNE: Je veux te faire un enfant!

ANAÏS: J'embrasse une longue cicatrice…

Elles s'embrassent.

JUNE, *prenant la tête d'Anaïs entre ses mains:* Toute ma vie, je me rappellerai ton visage ainsi qu'une comète qui m'emporte avec elle!

HENRY, *surgissant de l'ombre:* Deux gorgones fabuleuses!

LA DANSE DE MORT

HENRY, *très calme, très à l'aise:* Je suppose qu'Henry Miller n'a plus qu'à s'effacer? Mais avant... *S'avançant vers June comme s'il allait la frapper.*

ANAÏS, *effrayée, s'interposant:* Ne faites pas cela!

JUNE: Il battait sa première femme quand elle était enceinte, notre Dostoïevski américain!

HENRY, *vers Anaïs:* Je vous obéis. Je vous obéis en tout parce que vous n'exigez jamais jamais rien de moi! *Vers June:* Alors que cette hystérique, cette mal baisée... Je ne la toucherais pas même avec des pincettes!

JUNE: Faire l'amour avec toi, c'est comme faire l'amour avec un chalumeau: vite allumé et vite éteint!

HENRY: Pauvre conne!

JUNE: Bouffon sinistre!

HENRY: Le tien, salope!

JUNE, *déclamatoire:* Mesdames et Messieurs, dans le coin droit, le champion de la bite, du con, le Rose-Croix de l'excrémentiel, le grand spéléologue du vagin, l'alpiniste de l'utérus, le plus grand baiseur de l'univers, Henry, Valentin, Miller... En tout cas sur papier, seulement et uniquement sur papier, car dans un lit, dans le feu de l'action, Aïe mes reins! Aïe mon coeur! Aïe mon foie! Dans la vraie vie, Mesdames et Messieurs, le champion est frigide, incapable d'entrer dans le monde!

HENRY, *s'esclaffant:* C'est que je n'ai pas tous les jours envie de baiser un cadavre sous sa housse en plastique! Car, voyez-vous, Mesdames et Messieurs, le palais de ses entrailles est aussi appétissant qu'un clou rouillé enfoncé dans une porte de latrine!

ANAÏS: Assez! Assez! Vous n'avez pas le droit de vous ridiculiser, de vous infliger...

HENRY: Débarrassez-vous d'elle, Anaïs!

JUNE: Débarrasse-moi de lui, Anaïs!

ANAÏS: Chacun de vous tire à bout portant sur la vie de l'autre! N'avez-vous donc pas un peu de compassion?

HENRY, *vers June:* Tu me manges la cervelle!

JUNE: Tu me bois le coeur!

HENRY: Ton sale petit coeur juif sans envergure! *Crachant:* Pouah!

JUNE: Ta cervelle de cobra! Pouah!

HENRY, *hilare, dansant la gigue:* Je danse sur ta tombe! Je danse sur ta tombe! Dans une tempête de rires je jette des fleurs sur ton cadavre. «Eh oui! l'astre de la syphilis est sur son déclin. Visibilité médiocre...»[3] Je suis le berger de Cro-Magnon, celui qui depuis le commencement des temps berce l'orgasme du grand dieu Pan. *La mettant en joue.*

Pan! Pan!

JUNE, *feignant l'étonnement:* Toujours aussi pompeux et vaniteux! Tu auras du succès... J'ai toujours pensé que tu étais un crétin à succès!

HENRY: Penser? Toi? Avec cet esprit pouilleux?

JUNE: Il te plaisait bien, mon esprit pouilleux, quand tu séchais, jour après jour, nuit après nuit sur la page blanche. *Elle joue Henry, exagérant, très actrice:* June, June oh! mon amour, il faut que tu m'alimentes! Allez, mon amour, tisonne-moi l'intellect! Stimule-moi! Sature-moi, de part en part, d'humanité, d'histoires croustillantes! Un peu de sueur sexuelle, mon trésor... Raconte-moi encore une fois, oh! ma princesse des mille et une nuits, cette histoire d'avorteur. Un athlète du rut, hein! Il les sodomisait, il les violait, hein? Hein? Toutes des masochistes, hein? Elles aimaient ça, elles en redemandaient, hein? Hein? Quel était son coefficient de dilatation déjà? June, June, mon amour, ce n'est pas le temps de dormir! Pratiquait-il l'autofellation? Avalait-il son propre sperme? Un vieux bouc, dis-tu! Un pénis de bison, des reins de singe! C'est génial, génial, mon amour... *Un temps.* Sans moi, tu n'étais qu'un aveugle...

HENRY: Sans toi, salope, je suis un homme libre. Regarde! *Faisant le geste:* J'enlève le collier de chien que tu m'avais passé autour du cou. F-I-N-I, fini. Je crache du pollen et des poils de pubis sur le vieux chien, le vieil homme, F-I-N-I. Dorénavant tu ne liras plus par-dessus mon épaule pendant que je m'arrache les tripes à décrire ce «cauchemar climatisé». Tu ne fouilleras plus dans mes manuscrits, mes notes, pendant que je dors, laissant partout des traces de bave et l'odeur de mort de tes ovaires. Je peux et je veux vivre sans toi. Sans toi! Même si je n'ai pas plus de talent qu'un pygmée, qu'un lapin dans la marmite de formol des sorcières... F-I-N-I. J'assume tout: crétinisme, désespoir, doute, ennui, pure peur animale se branlant sur le perron du cosmos!

JUNE: Assumer? Toi, assumer quelque chose? Ta prétention est vertigineuse. Tu as toujours eu autant de courage qu'une balle de ping-pong! *Prenant Anaïs à témoin, un peu vaniteuse:* Un jour que j'étais en tournée à la Nouvelle-Orléans... Une excellente pièce américaine... J'y débutais dans un rôle de premier plan et tous les projecteurs...

HENRY, *imitant June:* Une excellente pièce américaine, j'y débutais dans un rôle de premier plan...

Une troupe de cabotins minables interprétant une farce hideuse: un véritable gâchis théâtral, Anaïs!

JUNE: Un jour donc, que j'étais à la Nouvelle-Orléans, je reçus un télégramme — tarif de nuit — du héros: J'ai une belle surprise pour toi. Tous tes voeux enfin exaucés. Arriverai dans deux jours. Amour, Henry. Évidemment j'attendis au moins dix jours l'arrivée du héros... Puis un matin, à l'aube, il entra dans ma chambre avec une allure de conquérant pour me remettre la belle surprise: un manuscrit. *Elle est maintenant très émue.* Son premier manuscrit! Il avait raison, pour une fois, tous mes voeux, enfin exaucés... Bouleversée j'en commençai aussitôt la lecture. *Un temps.* Quel choc, Anaïs. Là, sous mes yeux, toute la matière de ma vie, mes souvenirs, toute ma vie mêlée à la sienne, l'essence même de mes paroles, de certains actes, de certains gestes intimes... Mais je ne reconnaissais rien. Rien! Distorsion! Dérision! De mes amis les plus chers, il avait fait des êtres grotesques. Un égoût à ciel ouvert, rempli d'escrocs, de monstres, de maniaques. Et le portrait qu'il traçait de moi: une nymphomane montrant sa chatte à tous les obsédés du Bronx, se faisant baiser à l'oeil par des avorteurs, des singes. Et pendant que je lisais ce chef-d'oeuvre, à mes pieds, assis sur son cul, l'écrivain me regardait, souriant, gonflé de fierté, comme un petit enfant qui apporte un rat décapité à sa mère et le dépose pieusement dans sa main en disant: voilà, maman chérie, rien que pour toi, mon plus beau cadeau. Rien que pour toi, maman chérie...

HENRY: Savez-vous ce que cette poufiasse a osé me demander?

ANAÏS: Je le sais.

HENRY: Je veux vous l'entendre dire...

ANAÏS: Elle vous a demandé de détruire votre manuscrit...

HENRY: Elle m'a demandé de me déchirer l'esprit, de m'arracher les couilles, de me lacérer les entrailles... Au nom de son sale ego, de sa vanité!

JUNE: Au nom de notre intimité, de notre amour...

HENRY: Tu ne m'as jamais aimé!

JUNE: J'ai flambé pour toi!

HENRY: Tu ne pouvais supporter le portrait que je

traçais de toi, un portrait criant de vérité qui révélait au monde entier le vrai visage de June Miller: une femme sans talent, envieuse...

JUNE: D'où je me tenais, sur mon petit bout de terre, avec mon simple coeur, je me sentais ton égale, Henry Miller!

HENRY: Une mythomane! Une pute! Quelle puanteur...

JUNE: Pendant sept ans, tu as vécu du cul de ta putain, salaud! Moi, ta femme, ta vache à lait, ton stimulant intellectuel. Tout ça, pour écrire un pareil torchon!

HENRY: Je suis allé jusque chez les morts pour l'écrire ce...

JUNE: Tu aurais dû y rester!

HENRY: J'en suis revenu parce qu'alors je t'aimais. Pourtant, autour de moi l'Amérique, l'Europe déversaient la peste...

JUNE: La peste, c'est ton cerveau, tes mensonges. Je te revois, Henry... Déchirant, page par page, ton

manuscrit... Essuyant une larme qui glissait lentement, lentement sur ta joue. Henry le généreux...
Une preuve d'amour, disais-tu... La preuve ultime
de ton amour pour moi! Et moi, complètement
hystérique, je te baisais les pieds, je pleurais en te
demandant pardon d'exiger cela de toi. Toi, magna-
nime, solide comme un roc... *Un temps.* J'ai été
tellement naïve et crédule... Tu n'aurais jamais dé-
truit l'unique exemplaire de ton manuscrit, salaud!
Tous tes chers amis en avaient une copie... Tu sais
quoi?

HENRY: Vas-y, hurle, hurle encore!

JUNE: Tu me donnes envie d'aboyer. Si c'est ça, un
être humain, je préfère être un chien. *Elle se met à
aboyer, à hurler et Anaïs la prend dans ses bras.*

HENRY: Personne, personne n'a le droit de me demander de détruire mon oeuvre. De me censurer!
De me bâillonner! Personne n'a le droit de me dé-
tourner de ce lieu où je retrouve l'ancien chemine-
ment dans le col de la matrice, la douce ondulation
frémissante... l'extase reptilienne... Tout ce qui me
garde en vie! *Observant Anaïs et June, prenant son
temps, sûr de lui:* Vous a-t-elle raconté sa naissance
misérable dans une étable? Son père, le roi mage en

fuite? Sa mère, morte d'épuisement dans le ghetto? June, orpheline à quinze ans? Ses parents sont vivants; son père est peintre en bâtiment, un homme simple... Sa mère est une grosse poufiasse larmoyante... Ils adorent leur fille, bien sûr... *Vers Anaïs:* Et vous, âme candide, vous avez cru tous ces mensonges... Avouez! Avouez!

ANAÏS: Ne me parlez jamais plus sur ce ton, Henry!

HENRY: Ne vous retournez pas contre moi, Anaïs!

ANAÏS: La violence de votre relation me terrifie!

HENRY: Je vous connais: terrifiée mais fascinée... Honnêtement?

ANAÏS: Honnêtement? Oui.

JUNE: Tout est de sa faute...

HENRY: Si tu étais capable d'un seul instant de sincérité, si tu cessais d'inventer des scénarios, de tenter de m'humilier. Tout est de ta faute!

ANAÏS: Ce n'est jamais aussi simple...

HENRY: Pour moi, si... Je ne pourrai jamais lui pardonner de m'avoir ridiculisé, d'avoir gaspillé mes souffrances. Il n'y a qu'une chose qui compte pour moi: écrire! Et je suis prêt à tout, à mendier, à voler, à me prostituer, à plagier, à tuer si nécessaire. Oui, je suis lâche et égoïste... mais complètement sincère. *Il se prépare à partir.* Je ne veux pas priver June de sa victoire...

ANAÏS: Ne vous excluez pas, Henry...

HENRY: Vous êtes une femme exceptionnelle...

ANAÏS: Vous doutez de moi?

HENRY: Je ne sais plus... *Il sort.*

ANAÏS, *vers June, se voulant brutale, brusque:* As-tu regardé en face ton désir pour les femmes?

JUNE: Tu trembles!

ANAÏS: Réponds-moi!

JUNE, *humble, soumise:* Je n'ai rien vécu jusqu'au bout...

ANAÏS: Même avec cette femme... la Comtesse Dracula?

JUNE: Tu utilises les mêmes mots que lui, les mêmes questions!

ANAÏS: Réponds-moi!

JUNE: La Comtesse Dracula... C'est lui qui l'a affublée de ce nom horrible! Jane n'avait rien d'un vampire. C'était une artiste, une très bonne artiste. Elle m'aimait...

ANAÏS: Et toi?

JUNE: Je n'aime pas les femmes masculines... Mais j'aimais ses mains, longues, fines, sensibles... Jane avait les plus belles mains et souvent je pensais que... *Elle s'interrompt.*

ANAÏS: Tu pensais que?

JUNE, *presque suppliante:* Rien, c'est sans importance...

ANAÏS, *exaspérée:* Réponds-moi! Un petit instant de franchise, s'il-vous-plaît, Madame Miller!

JUNE, *au bord des larmes:* Je pensais... Non, je souhaitais... Tout s'embrouille... Tu me fais peur!

ANAÏS, *inflexible:* Tu pensais... Tu souhaitais... Continue...

JUNE: Elles me rappelaient les mains de ma mère...

ANAÏS, *sarcastique:* Ta mère vivante ou l'autre?

JUNE: Je pensais que peut-être un jour, les mains de Jane auraient affaire à mon corps lors de ma mort. Mon corps mort... tu comprends? Je souhaitais que ces mains-là arrangent mes cheveux, fardent mes joues, étendent le mascara, qu'elles me lavent, m'habillent... Je ne veux pas de mains anonymes... *Se voulant désinvolte:* Un fantasme!

ANAÏS: Mais de ton vivant, les mains de Jane...

JUNE: Oh! tu sais, il y a longtemps que sexuellement je suis morte...

ANAÏS, *ébranlée:* Difficile à croire!

JUNE: Je te déçois?

ANAÏS: Tu m'étonnes…

JUNE: J'ai longtemps vécu immergée dans une certaine idée de l'amour, de la passion… Puis, un jour, j'ai trouvé mortellement ennuyeux ce mouvement de gymnastique à deux, cette collision glandulaire!

ANAÏS, *éclatant de rire:* Balayés, coup de foudre, fièvre et vertige!

JUNE, *prenant les mains d'Anaïs, les embrassant:* Avec toi, je sais que tout serait différent!

ANAÏS: Pourquoi?

JUNE: Parce qu'avec toi, je me sens encore capable de séduire, parce que je te vois lumineuse, je me vois lumineuse… Avec toi, je me sens comme ce jour où j'ai nagé dans une crique en montagne, sous un ciel couleur de saphir, seule, nue, plongeant sous des arbres morts, glissant sous de larges nénuphars. Parfois je frôlais des serpents d'eau, des petites tortues. Une telle liberté, une telle solitude, Anaïs. J'avais des ailes sur tout le corps, et il me semblait que je devenais aussi transparente et aussi belle que l'eau. Vingt ans plus tard, ce moment m'apparaît encore comme le plus extraordinaire que j'ai vécu.

ANAÏS, *après un temps, avec ferveur:* J'écrirai sur toi!

JUNE: Tu feras mon portrait, comme tu as fait le portrait d'Henry? Tes portraits sont si beaux...

ANAÏS: Je ferai ton portrait dans le *Journal*... J'écrirai des fictions dont tu seras l'héroïne...

Otto Rank fait son apparition, complet anthracite avec rayures blanches, chapeau melon, guêtres et canne, très vieille Europe...

OTTO, retirant son chapeau: Mesdames...

LA NUIT DE CRISTAL

OTTO: Chère Anaïs. (*Il lui baise la main*) J'aurais dû, bien sûr, vous téléphoner... Mais je sors d'un colloque international...

ANAÏS, *coupant court, très à l'aise:* Vous ne vous connaissez pas, je crois... June Miller, Otto Rank...

OTTO, *lui baisant cérémonieusement la main:* Un soir, il y a de cela quelques années... boulevard Raspail à Paris, je vous ai aperçue en discussion... — *Il hésite* — très animée, avec votre mari. Vous portiez un fourreau en velours noir, une longue cape flottant sur vos épaules...

ANAÏS: Et qu'aviez-vous pensé d'elle?

OTTO, *fermant les yeux, se rappelant:* Que cette femme est belle et sophistiquée! Les psychiatres classent les êtres...

ANAÏS: Pas seulement les psychiatres!

OTTO: Les psychiatres et les psychanalystes classent les êtres en de nombreuses catégories, selon leur caractère, leur...

ANAÏS, *l'interrompant:* Ainsi ils sont certains que beaucoup de choses leur échappent!

OTTO, *riant:* J'allais le dire! Il y a des gens inclassables: ceux qui possèdent, par exemple, cent fois, mille fois plus de vitalité que d'autres!

ANAÏS: Ceux qui connaissent la passion, la détresse, le rire, qui manifestent dans leurs actions, la souveraineté de l'inspiration et de la générosité. *June, comprenant qu'il s'agit d'elle, lui adresse un geste ou un regard de reconnaissance.*

JUNE, *se rappelant:* Boulevard Raspail... Otto Rank... Je me souviens que mon mari ne jurait que par vous: Otto Rank a écrit... Otto Rank a dit... Dans une conférence célèbre d'Otto Rank... Il vous lançait dans toutes nos conversations comme on lance une fusée dans un air raréfié et pur, à l'abri des bourrasques. Mais… il ajoutait toujours, immanquablement: Ah! ces sacrés Juifs! *Cynique, amère.* Mon mari est ainsi: ses meilleurs amis sont des Juifs! Rank? un pseudonyme?

OTTO: Oui. Adopté légalement. C'est le nom de l'ami de famille dans la pièce d'Ibsen, *La Maison de poupée.* Je suis né Otto Rosenfeld, Juif de Vienne.

JUNE, *nerveuse, inquiète, angoissée:* Faut bien sauver sa peau, n'est-ce pas! *Un temps.* Otto Rosenfeld, étiez-vous à Berlin cette nuit-là?

OTTO, *qui ne comprend pas tout en comprenant:* Cette nuit-là?

ANAÏS, *même jeu:* Cette nuit-là?

JUNE: Je n'en connais qu'une dans l'histoire: La Nuit de Cristal!

OTTO: Cette nuit-là… À Vienne avec Sigmund, au milieu de la peine et de l'affliction. Et vous?

JUNE: À New York... *Vers Anaïs:* Toi?

ANAÏS: À Paris. J'habitais encore ma péniche La Belle Aurore! L'Europe avançant au pas cadencé de l'Oie... Dans les rues les femmes savaient... les femmes marchaient en pleurant.

JUNE: À l'abri, à New York, je cherchais de l'argent pour mon mari! le prix d'un billet de retour. Il m'adressait des télégrammes pathétiques, frénétiques de la terrasse du Dôme ou de sa chère villa Seurat. «L'Heureux Rocher», réduit en poussière devant sa petite vie égocentrique de libérateur de l'espèce humaine, menacé par quelque chose d'aussi inévitable qu'une guerre. Tantôt fou de rage, tantôt gémissant, pleurnichant sur son sort. «Ses propos chinois sur la sagesse n'avaient pas supporté l'épreuve de la réalité.»[1] Finis la retraite dorée, le penthouse au tibet. C'est le temps de La Nuit de Cristal, ils vont nous arracher l'âme...

ANAÏS: Au simple mot de culture, ils sortent leur revolver. Vernitchen! Vernitchen! Anéantir!

OTTO: Partout en Allemagne, les TOTENKOPVER-BÄNDE, unités tête de mort de la grande armée du Fuhrer, brûlaient les livres écrits par les Juifs, dan-

90

sant sur les braises d'un cri de haine interminable!
Otto, incarnant un nazi, avec des gestes, une attitude hallucinée: Contre la décadence et la décrépitude de toute morale, pour le maintien de l'ordre et des moeurs saines, dans la famille comme dans l'État, je jette aux flammes les écrits de Heinrich Mann, d'Albert Einstein, de Sigmund Freud, d'Erich Maria Remarque, de Karl Marx! *Redevenant lui-même:* Contre la dépravation des sentiments, contre la surestimation débilitante de la vie des instincts, pour la reconnaissance de la grandeur de l'âme humaine, ils brûlèrent sur leurs bûchers de la purification, tous les livres écrits par les Juifs, ceux de nos philosophes, de nos historiens, de nos poètes, de nos romanciers. Ces livres où venaient s'abreuver depuis si longtemps toutes les communautés d'artistes du monde entier. De notre culture, il ne resta plus que des ombres... que des cendres. Toutes les éditions démocrates enjuivées, toutes la presse juive fût supprimée... Et, dans les jours qui suivirent La Nuit de Cristal, dans le camp de concentration de Dachau, les suicides s'élevèrent à la moitié du nombre de Juifs que les TOTENKOPVERBÄNDE enterraient à coup de bottes dans les charniers.

JUNE: Pendant ce temps, l'Amérique, comme tant

d'autres pays civilisés, contingentait l'immigration des Juifs: pas assez «Kacher» trop «Goniff»... pourri!*

ANAÏS: Finie notre vie romantique, notre vie d'artiste dans la plus belle ville d'Europe. Nous savions que nous n'aurions jamais plus le temps de refaire le monde dans les cafés de La Rive Gauche; que vivre dans la familiarité de l'art et de la liberté était dorénavant chose du passé. «Je sentais que je n'avais pas participé aux haines, aux fureurs, à l'amour de la destruction, mais que je participerais au châtiment.»[2]

JUNE: Ma guerre! Mes guerres avec Lui! *Pendant qu'elle parle, elle sort ses fards, vérifie son maquillage, met du rouge à lèvres, se prépare à partir, et Anaïs l'interroge du regard.* J'ai des choses à régler avec mon ennemi naturel ou surnaturel... Qui donc a dit que «rien n'est aussi recommandable que la générosité envers l'ennemi»?[3] Ne cherchez pas! c'est la Générale June Miller à Waterloo! *Vers Anaïs, l'embrassant, embrassant ses mains!* Je veux sortir avec toi, dîner, danser dans les endroits les plus beaux de la ville. Si tu n'es pas là, je laisserai un rendez-vous brûlant à ton coeur d'Amérique. *Se tournant vers Otto Rank, lui donnant une poignée de main:* Adieu, Otto Rosenfeld! *Elle sort d'un pas de guerrière.*

PUBLISH OR PERISH

OTTO, *affable:* Comment vous sentez-vous?

ANAÏS, *sur le même ton:* Coupable! Et vous?

OTTO, *sur le même ton:* Coupable!

Ils se regardent et sont bientôt secoués d'un fou rire.

ANAÏS: Dites-moi quelque chose d'inédit!

OTTO: Hum... Hum... J'ai du mal à m'enlever de l'idée que j'ai eu un début difficile dans l'existence...

ANAÏS, *riant de plus belle:* Comme vous dites...

Ah! si nos patients nous entendaient...

OTTO: S'ils nous voyaient! *Il l'entraîne dans une grande valse viennoise... et dansant toujours:* Quelle est la dernière découverte du *Journal?*

ANAÏS: «Que les hommes se figurent qu'ils vivent et meurent pour des idées. Quelle divine plaisanterie. Ils vivent et meurent pour des erreurs personnelles, émotionnelles, tout comme les femmes.»[1]

OTTO, *interrompant la valse:* Montrez-moi votre *Journal!*
Anaïs lui tend son Journal *et il le feuillette.*

ANAÏS: Votre portrait est à la page quarante... *Otto Rank trouve la page et commence à lire en silence.* J'ai fait le portrait d'Henry Miller, de Lawrence Durrell, d'Antonin Artaud, d'Edgar Varèse, de Tennessee Williams, de Truman Capote, d'Edmund Wilson... Celui de mon père... *Changeant de ton, jouant Henry et d'autres, avec des accents:* un jour, votre *Journal,* je le clouerai aux murs de ce studio! Laissez mourir le *Journal,* ma petite, il vous empêche de vivre. Vous allez vous noyer dedans, mon enfant. Libérez-vous du *Journal,* très chère! Écrivez des romans, de la fiction, un monde nouveau, celui de l'artiste! J'ai suivi leurs conseils: j'ai laissé mourir le *Journal* pendant le froid de l'hiver pour écrire *Winter of Artifice!* Et depuis, la poussière s'accumule sur mon roman... Il est enterré sous les critiques insultantes, le mépris, l'incompréhension... Et je suis revenue à mon *Journal*.

Otto referme le Journal, reste immobile, visiblement bouleversé, prêt à fondre en larmes.

OTTO: «Ce que vous avez écrit sur moi me plaît immensément, immensément.»[2]

ANAÏS: Ils sont tous pareils: quand ils lisent le portrait que j'ai tracé d'eux ils changent d'avis: un document unique! Un monument...

OTTO: En tant qu'analyste, je me méfiais de votre *Journal*...

ANAÏS, *ironique:* Au point de le traiter comme une maladie?

OTTO: Au point de le traiter comme une défense contre l'analyse. Je ne voulais pas que vous analysiez l'analyse! Et pour ça, il fallait...

ANAÏS: Que je quitte mon refuge... Ma Matrice! Miller et Durrell, eux, divaguent à pleines pages sur la Matrice...

OTTO, *moqueur:* Mot clé de tous les délires masculins, Anaïs! Même Dieu, qui crée et engendre son fils unique...

ANAÏS: Mais c'est moi la Matrice, l'Utérus!

OTTO: Les hommes sont nostalgiques, nostalgiques! Le Logos initial, c'est Elle! La volupté cosmique, la nourriture céleste, terrestre et le paradis perdu, c'est Elle! La lune bleue de nos rêves, nos rires, nos pleurs, et cette poignée de fleurs sauvages dans nos mains d'enfants blessés, c'est encore Elle, la Mère primitive! Toutes ces histoires bibliques, ces mensonges... ne sont que la négation de cette déesse... ou diablesse primordiale.

ANAÏS: Votre théorie du traumatisme de la naissance place cet événement au centre de la névrose et de sa cure, n'est-ce pas? Ce n'est pas très orthodoxe...

OTTO: Orthodoxe? Mais je suis un hérétique! J'en arrive à la conclusion que l'astrologie, par exemple, «est la première doctrine du traumatisme de la naissance; d'après l'astrologie, la nature et la destinée de l'homme seraient déterminées par ce qui arrive dans le ciel au moment de sa naissance».[3] Un ciel si richement peuplé de mythologies, d'étoiles filantes et d'oiseaux de feu! Je voulais faire de cette théorie quelque chose d'aussi beau qu'une oeuvre d'art.

ANAÏS: L'astronomie scientifique rejette l'astrologie, Otto...

OTTO: Pourtant ils ont d'abord spéculé sur l'image astrale du monde. Sur des projections psychiques, des sublimations, des refoulements. Et cette astronomie, dite scientifique, contient «encore de nombreux éléments inconscients et imaginaires».[3]

ANAÏS: June dirait que vous êtes un artiste. Une âme agissante!

OTTO: Adolescent, j'écrivais, moi aussi, un journal à qui je confiais mes ambitions littéraires, ma passion pour le théâtre. À l'âge de dix-neuf ans, après avoir lu les premiers travaux psychanalytiques, dans un état d'euphorie, j'écrivis un livre sur la psychologie de l'artiste et sur la création artistique. Je présentai mon manuscrit au père de la psychanalyse qui, séduit, le fit éditer. À l'âge de 25 ans, j'étais secrétaire de la très puissante Société Psychanalytique de Vienne. À l'université, je fus le premier homme, sur cette planète, à consacrer une thèse à la psychanalyse... *Cachant son visage dans ses mains:* Quelques années plus tard... la rupture... Situation transférentielle! Puis, l'exil, l'errance... J'en porte encore le deuil! *Se secouant:* Ça fait au moins trente ans que je n'ai pas parlé de moi-même à personne...

ANAÏS: Vous l'avez aimé à ce point?

OTTO: Après ma mère, Sigmund est l'être que j'ai aimé le plus au monde:

ANAÏS: À votre tour, vous êtes devenu un père...

OTTO: «Je n'ai jamais rencontré personne qui prenne autant d'intérêt que vous aux êtres humains, Anaïs».[4]

ANAÏS: Selon Henry, il ne faut jamais se laisser prendre au piège de la compassion. Sincèrement, Otto Rank, qui de lui ou de moi est le meilleur écrivain?

OTTO: Et vous, qu'en pensez-vous?

ANAÏS: «Il est clair que j'en ai plus à dire et ne le raconterai jamais aussi bien. Il en a moins à dire et le dit merveilleusement.»[5]

OTTO, *qui semble fatigué, triste:* C'est aussi mon avis.

Anaïs prend les mains de Rank comme si elle voulait les réchauffer.

ANAÏS: Je voudrais sauver l'artiste en vous!

OTTO: Sigmund dirait que je présente des manifestations franches de type maniaco-dépressif... Bref, que je suis déprimé et fatigué. J'ai besoin de vous, Anaïs...

ANAÏS, *angoissée:* Que voulez-vous que je fasse?

OTTO: Vous connaissez leur slogan: Publish or perish! En Amérique, un psychanalyste qui ne publie pas au moins un livre par année, ou un certain nombre d'articles théoriques, risque de perdre tout prestige, toute crédibilité!

ANAÏS: Le circuit commercial de la Vraie faculté des Lettres!

OTTO: La concurrence est féroce! Mais, si je publie un livre, ou deux, l'embryon d'une oeuvre, je recevrai le label de l'intelligentsia! Si non, c'est l'excommunication... Ce sont des rites exquis, n'est-ce pas? Publish or perish!

ANAÏS: Vous me demandez...

OTTO: Je vous demande de récrire mes livres. Ils ont été traduits de l'allemand mais si mal, si grossièrement... Je vous demande de les récrire, de les condenser, de les rendre plus clairs...

ANAÏS: Vous me demandez de vous consacrer ma vie! De ne plus écrire pour moi...

OTTO: Je suis à bout... Je me sens si seul...

ANAÏS, *visiblement très bouleversée, déchirée:* Vous me demandez de renoncer à écrire pour moi, Otto Rank! Voilà l'homme qui m'a enlevé mon *Journal...* et qui me l'a rendu en disant: c'est une oeuvre d'art!

OTTO: Vous avez enrichi ma vision de la femme...

ANAÏS: Grâce à vous, j'ai appris un métier, analyste, pour qu'il me soit toujours possible de gagner ma vie... et d'écrire!

OTTO: Vous refusez?

ANAÏS: La tâche d'une vie!

OTTO: J'ai changé votre vie!

ANAÏS: J'ai peur de vous perdre! Comme j'ai perdu mon père...

Artaud apparaît de dos, tirant un chariot sur lequel sont empilées des caisses...

ARTAUD: C'est votre presse à imprimer, Madame. *Changement d'éclairage, Artaud se retourne vers Anaïs:* Anaïs, Anaïs! C'est Artaud, votre Antonin. Glissez-vous encore sur la terre en lissant vos plumes rouges? Je me souviens que vous marchiez au feu avec cette piété éternelle, avec cette passion de la combustion spirituelle. Et ce manuscrit admirable que vous m'aviez fait lire avant votre fuite vers l'Amérique? Il m'avait ensorcelé. Cet amour pour votre père... signe originel de toutes les Gorgones de l'espèce humaine! Vous souffrez de l'amour perdu... Comme moi. Le Mômo s'était penché amicalement sur vous, mais vous l'avez poussé vers le bûcher! Heureusement, je suis un Acteur, mes pouvoirs m'ont sauvé. Je suis amoureux de Colette Thomas. Oui Madame! J'aime les étrangères. Il n'y a pas plus étrangère que Colette Thomas: elle se prend pour Antonin Artaud. Oui Madame! Cette sciure de bois veut le Mômo dans son ventre! Une lime qui lime les nerfs, de la honte, de l'ordure! Un sac d'excréments qui pense illuminer le désert. Un coeur noir! J'ai dit non à Colette Thomas! Non! Non! C'est ma revanche. Elle croyait m'avoir envoûté avec son souffle. Je sais bien qu'elle travaille pour la police anglaise et la Gestapo. Triste histoire... Mes pouvoirs m'ont sauvé! Elle est comme toutes les femmes: insoumise et souffrante. Pire! Colette Thomas fait maintenant la morte. Elle anticipe! Elle disparaît! Mais je suis sur la piste. Je me suis fait donner une mission au Mexique... Facile à reconnaître, Colette Thomas: elle est fière comme un pou sur la tête du pape, vêtue à la dernière mode, avec, dans la bouche, des cailloux blancs pour les forêts obscures. Anaïs, j'ai subi trop de pertes. Le temps que les autres passent à vivre, je le passe à chercher Colette Thomas. Oui Madame!

S'adressant à un passant invisible: La charité, s'il-vous-plaît... La charité, mon bon Monsieur... Un petit dollar pour un pauvre pèlerin... Pourquoi faire? Pour arroser mon champ d'opium, crétin! N'est-ce pas évident? En Afganistan? Oui, mon bon Monsieur. Sur un site éphémère, au sommet d'un glissement spirituel. Non, Monsieur, je n'ai plus de dignité. Dites-moi, Monsieur, que pensez-vous de la divine charité? De la bonne volonté? Oh! merci Monsieur. Que votre pauvre mère nous bénisse car nous sommes tous des animaux! *Revenant à Anaïs:* Charogne! Bedaine bêlante! Je veux des dollars. Je veux de la boustifaille: un litre de laudanum pour nettoyer la crasse et disparaître sur une banquise, aussi pur qu'une première communiante. *Chuchotements...* Anaïs, serpent à plumes, avec deux cents gouttes de laudanum — le meilleur, celui d'avant-guerre — je vous torche un poème. Cinquante gouttes de plus et j'y mets le point final. Une femme comme vous regorge d'opium... «l'organisme des femmes, nous le savons, regorge d'opium»...[6] Mais le pauvre Mômo, lui... Comment voulez-vous que je courtise les Belles-Lettres? Coleridge et les autres arrivaient à huit mille gouttes par jour. Huit mille gouttes! La grosseur d'un rosbif, oui Madame! Voilà ce qu'il faudrait à votre Antonin pour être un Homme avec une Femme. Taisez-vous! Taisez-vous! Vos insinuations de désintoxication me soulèvent le coeur. Ne saviez-vous pas que Pluton, la maléfique, transite en Cancer depuis 1914? Je suis son otage, son captif, sa créature. C'est ici qu'éclate la supériorité des planètes sur les pauvres âmes qui doivent se résigner aux puanteurs et aux démences de la terre. *Touchant son ventre, son cul:* Cancer, petit crabe domestique s'imposant le travail de ma finitude. Il m'absorbe avec mes détritus. Quelle corvée! «La différence entre les autres femmes et vous, c'est que vous respirez dans le dioxyde de carbone et exhalez de l'oxygène».[7] (*Changement d'éclairage) Artaud montre la presse:* Où dois-je l'installer? Il faut éviter les courants d'air... mais la lumière du jour est essentielle! Ici elle serait bien... *Signe d'assentiment d'Anaïs et il commence à déballer les caisses...*

OTTO, *ironique:* Publish or perish! Je ne suis pas le seul?

ARTAUD: Une véritable occasion: cent soixante-quinze dollars, incluant les caractères et les formes.

ANAÏS: Puisque les éditeurs américains refusent de me publier... C'est mon nouveau défi, ma cure contre le découragement et la frustration.

OTTO, *reprenant vie, se frottant les mains:* Il va vous falloir du papier, du bon papier, des tonnes de papier... Je connais un endroit... Savez-vous imprimer? *Signe négatif d'Anaïs.* À la bibliothèque, vous emprunterez un livre... vous devrez apprendre la typographie, l'encrage...

ARTAUD, *déballant toujours les caisses:* Cette presse vous portera bonheur, Madame! l'ancien propriétaire — quand sa femme l'a quitté — dans un moment de neurasthénie «a composé son nom en caractères d'imprimerie et l'a avalé».[8]

ANAÏS: Il est mort?

ARTAUD: Non. Il a changé de métier.

OTTO, *vers Artaud:* En avez-vous pour longtemps?

ARTAUD: Des heures... des heures...

OTTO, *vers Anaïs:* Célébrons l'événement! Je vous invite au restaurant... Et nous irons chercher du papier. Vous me parlerez de June!

Avant de sortir avec Otto, Anaïs prend la peine de prendre son journal...

OTTO: J'ai toujours rêvé d'une presse communautaire...

ARTAUD, *seul, toujours au travail, pendant que la lumière baisse peu à peu:*
«Elle n'est ni blanche, ni brune
Nul ne possède sa silhouette divine
Sur la terre ni dans l'air.
C'est un tel être que j'ai rencontré,
mon bon monsieur:
Elle m'a laissé seul,
Tout seul comme un inconnu
Elle qui parfois prenait ma main
Et me prenait comme amant.»[9]

ENTRACTE

JOURS TRANQUILLES À NEW YORK

Quinze ans plus tard... dans le studio d'Anaïs...
Anaïs est en train d'emballer des livres, elle utilise
des boîtes, du papier... La presse à imprimer est
encombrée de livres, de papiers, on sent une intense
activité. Henry fait une entrée discrète, s'arrête,
observe Anaïs. Il porte une valise qu'il dépose par
terre, tousse.

HENRY: Vous n'avez pas changé: toujours aussi vénusienne et neptunienne!

ANAÏS: Nous avons vieilli, Henry!

HENRY: Mais chez vous, c'est à peine perceptible.
Vous êtes encore plus belle, plus rayonnante! L'au-
réole subsiste toujours, si je puis dire... Alors que

moi... Arthrite, hydropésie, ma prostate sent le moisi, mon coeur se met souvent à sauter comme un poisson dans la friture... Déprime, névrose et les meilleurs voeux de Santa-Claus! Bref, la mort fait son travail comme un bon criminel... Heidegger l'a dit: l'homme n'est rien d'autre que le temps, rien au-delà. Vivre, quel exploit! *Ils ont tous les deux un élan l'un vers l'autre et s'embrassent comme de vieux amis.* Quand j'ai appris la mort d'Otto Rank... Vous savez ce que c'est, sur la côte Ouest, les bonnes et les mauvaises nouvelles nous parviennent souvent avec un peu de retard...

ANAÏS: Avec un peu de retard? Henry, ça fait au moins dix ans que notre ami est mort...

HENRY, *incrédule:* Dix ans? Entre nous, Otto Rank était beaucoup plus un critique littéraire qu'un psychanalyste...

ANAÏS: Il est mort au moment où il allait réaliser son souhait de vivre en Californie, de ne plus consacrer tout son temps à l'analyse...

HENRY: Je voulais vous écrire une longue lettre, vous téléphoner... Mais encore une fois, je touchais le fond, les abysses! Si vous saviez comme je me sentais abandonné comme un chien, là-bas à Big Sur, au bord de l'océan, entre une loutre de mer et un cachalot. Pax vobiscum! Des années et des années de pauvreté, divorce, cafard noir, personne vers qui me tourner pour un peu de réconfort et de compréhension. Puis ma dernière épouse m'a arraché mes enfants parce que, soit-disant, j'étais un père gâteux et incompétent... Cette connasse sans coeur! J'ai passé des jours dans les montagnes à beugler comme un taureau blessé. Quand mon père est mort... j'ai cessé de croire à mon talent d'écrivain: je n'avais qu'un désir, être seul avec mon chagrin et mes remords. La source était tarie, la pendule s'était arrêtée. J'ai pleuré jusqu'à ce qu'il ne reste plus en moi, une seule larme de douleur. Et tous ces gens, ces pouilleux, ces ratés de la création se sont mis à débarquer chez moi, s'agrippant à ma petite notoriété, mendiant des encouragements alors que je n'étais plus qu'un sac vide... Pour la première fois, l'art...

ANAÏS, *au bord de l'exaspération, mais essayant de se contrôler:* Être dévasté par la mort de son père, se faire du souci pour ses enfants, répondre à des appels de détresse... Nous sommes tous, un jour ou l'autre, confrontés à ces choses, Henry!

HENRY: Vous savez bien que je ne sais pas me comporter comme la moyenne des gens...

ANAÏS, *ironique:* J'avais oublié...

HENRY: Ne suis-je pas le meilleur outsider de la littérature américaine? L'écrivain le plus cochon depuis Rabelais, le Marquis de Sade et D.H. Lawrence? Un jour, quand la censure cessera de mutiler mon oeuvre...

ANAÏS: Comment osez-vous vous plaindre de la censure! Elle n'a fait qu'accroître votre réputation d'auteur...

HENRY: C'est un point de vue...

ANAÏS: On écrit déjà des études académiques sur vos livres!

HENRY: J'aurais réussi sans la censure, Anaïs. C'était écrit dans le ciel! Rappelez-vous... En Europe... Quand je consultais ces astrologues, ces voyantes... Elles me prédisaient le succès, la célébrité...

ANAÏS: Les astres, oui, bien sûr, mais surtout vos

manoeuvres publicitaires, votre correspondance avec les critiques et les écrivains les plus en vue d'Europe et d'Amérique. Votre mégalomanie offensive!

HENRY: Un vrai tourbillon, hein? En plus je suis arrivé au bon moment... Ils étaient tous sur leur déclin, Dos Passos, Faulkner, Hemingway et compagnie... Il y avait une place à prendre...

ANAÏS: Vous ne l'avouerez jamais mais vous êtes l'être le plus compétitif! À côté de vous, Hemingway est un enfant de choeur. Vous n'avez qu'une patrie: le succès!

HENRY, *furieux:* Et vous? Quelle est votre patrie? La compassion? Le féminisme?

ANAÏS: Je n'ai qu'une patrie: les artistes!

HENRY: Je ne veux pas de votre hostilité. Je ne veux pas me battre avec vous.

ANAÏS: Vous ne cherchez que votre glorification personnelle...

HENRY: Votre silence, Anaïs... Votre silence pendant que je publiais mes meilleurs livres, que je me battais sur tous les fronts…

ANAÏS: Mon silence?… Pendant que vous et Lawrence Durrell deveniez des célébrités?…

HENRY: Larry et moi nous avons pensé que…

ANAÏS: Quand Durrell a publié son *Quatuor d'Alexandrie*, j'avoue que j'ai été étonnée que l'Amérique lui fît bon accueil. «Pour la première fois le succès immédiat d'un écrivain me fit pleurer, non pas de jalousie ou d'envie… mais à cause de l'injustice de l'Amérique qui ferme la porte à mon oeuvre que je considère comme la contrepartie féminine de Durrell.»[1] Non je ne suis pas jalouse… Comment le serais-je quand la qualité de l'écriture l'emporte: une écriture de banquet après tout ces tristes romans américains aussi froids et stériles que des congélateurs.

HENRY: Vous ne m'avez rien dit de mes derniers livres… Quel effet vous font-ils?

ANAÏS: Un effet de viol!

HENRY: Il m'arrive de penser que j'ai encore des

choses à dire, des choses divines et pures, si pures, que des nonnes, des mères de famille et leurs filles vierges de coeur et de corps pourraient les lire. Mon oeuvre et celle de Larry sont venues à temps et la vôtre est venue trop tôt!

ANAÏS: J'étais en première ligne avec mon écriture cosmopolite, onirique et surréaliste et j'ai essuyé le feu meurtrier des critiques...

HENRY, *inconfortable et se voulant optimiste:* Vous aurez votre revanche. Vous êtes jeune et vos livres circulent de plus en plus! Tous mes amis me parlent...

ANAÏS, *sidérée:* Jeune? Mais j'ai plus de cinquante ans, Henry! Et si mes livres circulent, comme vous dites, c'est parce que je les imprime moi-même. En travaillant dix heures par jour, il m'a fallu huit mois pour composer et imprimer *Winter of Artifice*... Ça fait vingt-cinq ans que j'écris dans le vide! Ils m'excluent de leurs anthologies... Il y a, bien sûr, d'autres facteurs qui...

HENRY, *sarcastique:* Vous allez sortir l'artillerie lourde?

ANAÏS: Je suis une femme et tous les directeurs littéraires, tous les critiques sont des hommes...

HENRY: J'aurais souhaité vous aider mais vous avez refusé...

ANAÏS: Parce que je n'avais plus confiance en vous. *Un temps.*

HENRY, *embarrassé:* Dites-moi, Anaïs, cette rumeur qui court... Bien sûr je n'en crois pas un mot...

ANAÏS: Que je suis lesbienne?.. On fait courir cette rumeur pour m'exclure de la communauté des artistes. Toute ma vie j'ai été entourée d'écrivains homosexuels écrivant sur l'homosexualité et le seul fait que, dans *Les Miroirs dans le jardin*, je laisse entendre qu'une femme en aime une autre me vaut une mise à mort. *Elle est soudainement sur le coup d'une grande douleur physique.*

HENRY, *complètement affolé, se précipitant:* Anaïs! Anaïs! Qu'avez-vous?

ANAÏS, *reprenant son souffle:* Cette douleur au ventre... Je saigne depuis des mois... quatre médecins

m'ont examinée… Je n'ai rien, disent-ils… Rien…
qu'une névrose incurable… Cinq heures, heure de
ma dépression…

HENRY, *partagé entre l'affolement, la compassion
et l'irritation… l'irritation l'emportant:* Vous voulez me culpabiliser! Vous avez l'impression que dès
que j'ai connu le succès… je vous ai laissé tomber,
hein?

ANAÏS: C'est moi qui ai rompu notre relation…

HENRY: Je suis sans doute un incurable romantique
mais j'aurais donné ma vie pour vous…

ANAÏS: En retour d'une totale dévotion à votre personne!

HENRY: Toutes les femmes que j'ai aimées m'ont
quitté! À quoi bon exhumer ces momies du ca-
veau…

ANAÏS: Elles vous ont quitté parce qu'elles étaient
vidées. Entièrement vidées…

HENRY: Vidées? Mais à part vous, elles ne m'ont
jamais rien donné. En tout cas elles ne m'ont pas

donné ce que je demandais...

ANAÏS: Parce que c'est un besoin que personne ne peut assouvir.

HENRY: Autrefois, vous me communiquiez un sentiment de gaîté et de sécurité.

ANAÏS: Autrefois, j'avais droit à vos angoisses, à vos gémissements, au récit de vos misères, à vos fantômes... Mais le monde entier avait droit, lui, à votre jubilation, à votre optimisme, à votre sagesse chinoise, à vos généreuses conversations... *Elle s'interrompt.*

HENRY, *atterré:* Seigneur Dieu! Qu'ai-je fait? Que vous ai-je fait? En une seconde, je vois toute l'étendue tragique de ma vie, de la vie de toute créature animée sur la terre!

ANAÏS: Je suis sans crainte, vous ne mourrez jamais le coeur brisé, Henry Miller!

HENRY: On croirait entendre... *Il hésite.*

ANAÏS, *sur le qui-vive:* On croirait entendre?

HENRY, *faussement désinvolte:* À propos, June est sortie de l'asile psychiatrique...

ANAÏS: June...

HENRY: Après notre séparation et notre divorce, elle a complètement disparu de ma vie... Plus tard j'ai appris par des amis... *Il essaie de retenir ses émotions.* Maintenant tout va bien, elle a trouvé un emploi, vous savez... pour la ville de New York... Elle travaille pour la ville de New York... Service-Social ou quelque chose du genre... N'est-ce pas miraculeux?

ANAÏS: Miraculeux? June, fonctionnaire!

HENRY, *après un temps:* Je n'ai jamais cessé de penser à elle.

ANAÏS: C'est bien la moindre des choses!

HENRY, *perspicace:* Tous les deux, nous n'avons jamais cessé de penser à June... N'est-ce-pas? Ahhhhh quand elle parlait de Strindberg et de Dostoïevski...

ANAÏS: Je lui ai écrit. Je souhaitais une réconciliation... la revoir...

HENRY: Vous lui avez écrit? Votre limpidité est un leurre!

ANAÏS: Je ne suis pas limpide!

HENRY: C'est pourtant l'image que j'ai de vous!

ANAÏS: Ma limpidité! En tout cas, vous ne vous êtes pas gêné pour patauger dedans.

HENRY: Glacée comme la peau d'une carpe, votre limpidité!

ANAÏS, *battant en retraite:* Que faites-vous à New York?

HENRY: Je suis venu enterrer ma mère.

ANAÏS, *après un temps:* Rien ne vous empêche plus de l'aimer un peu...

HENRY: Je la hais.

ANAÏS: Elle vous a toujours terrifié. *(Signe d'assentiment de Henry)*

HENRY, *joyeux:* Autrefois, tout vous terrifiait: flâner la nuit dans les rues, converser avec les putains, vous saouler, envoyer chier le pape, les flics et les concierges!

ANAÏS: Autrefois, j'étais la première femme avec qui vous vouliez être sincère.

HENRY: Je voulais être un saint.

ANAÏS: Un saint chinois!

HENRY: Je prenais ma réincarnation chinoise tellement au sérieux que je bouffais du gingembre du matin au soir. (*nausée...*) Pouah!

ANAÏS: Je considérais votre oeuvre beaucoup plus importante que la mienne. Je suivais vos conseils.

HENRY: Vous disiez que j'étais un écrivain puissant! Vous entendre équivalait pour moi à changer ue civilisation. Vous m'avez aidé à reprendre confiance en moi. *Il se tait, puis continue, bouleversé:* Pourquoi ne pas le dire: c'était le bonheur!

ANAÏS: Pour m'exprimer votre gratitude, vous m'avez plagiée, vous avez pillé mes rêves, mes idées, mes perceptions. Ma vision!

HENRY: Pour me punir, vous avez voulu me voler ma femme. Mon épouse démente!

ANAÏS: C'est vous qui l'avez rendue folle!

HENRY: Je ne crois pas à votre innocence. J'ai ma version des faits!

ANAÏS: June a la sienne, j'ai la mienne... Le terrible jeu des miroirs...

On entend la sonnerie stridente du téléphone puis, distorsion du son, comme une sirène d'ambulance, puis, comme un signal de danger. Anaïs va vers le téléphone, la lumière change et June apparaît, comme la première fois.

JUNE: Les poumons qu'on gonfle bien à fond pour souffler toutes les bougies d'un coup et sortir enfin de l'interminable adolescence. Quand on est jeune, un an, ça change tout. Anaïs, c'est June. Je t'aime!

HENRY *se place en retrait et observe:* Le chant des sirènes!
Nous revenons quinze ans en arrière.

LE CHANT DES SIRÈNES

ANAÏS: C'est ton anniversaire?

JUNE, *moitié sérieuse, plaisantant:* Et de par le monde, personne n'y prête la moindre attention. C'est bizarre, mais plus on vieillit, plus les anniversaires perdent de leur importance...

ANAÏS: Bientôt ils ne comptent guère plus que des bornes aperçues par le fenêtre d'un train...

JUNE: Et si on ne regarde pas juste au bon moment, on les rate! Tu écrivais? Je te dérange? Tu veux que je parte? J'ai l'habitude, tu sais...

ANAÏS: Aujourd'hui, il n'y a rien de plus important que ton anniversaire de naissance!

JUNE: Alors j'ai tous les droits? *Signe d'assentiment d'Anaïs.* Celui de manger un steak tartare? De boire du champagne? Garçon! *Artaud apparaît, vêtu comme un quidam, portant un seau à champagne et l'air ennuyé.* C'est un de mes admirateurs: il s'occupe de haute mathématique et de statistiques... *Chuchotant:* à Washington... *haussant le ton:* secret d'État... N'est-ce pas Monsieur Carruthers? *Artaud a l'air furieux.* Monsieur Carruthers, je vous présente Anaïs Nin, une artiste internationale... Elle fait mon portrait! *Artaud et Anaïs se dévisagent sans symphatie évidente.* Ouvrez cette bouteille, Monsieur Carruthers! *Artaud s'exécute, furieux.* Maintenant, retirez-vous, Monsieur Carruthers. Mon amie et moi, nous voulons un peu d'intimité. *June lui prend le bras, le conduit vers la sortie malgré ses protestations. Elle lui chuchote quelque chose qui semble un peu le calmer et comme il va disparaître:* Les verres, Monsieur Carruthers! *Artaud sort deux coupes à champagne de ses poches et elle s'en empare.* Au revoir, Monsieur Carruthers! *Il disparaît.*

ANAÏS, *avec un frisson rétrospectif:* Il me donne froid dans le dos!

JUNE, *radieuse, servant le champagne:* Moi aussi!

ANAÏS: Un jour on te retrouvera la gorge tranchée!

JUNE: C'est un de mes admirateurs. Je le tiens en haleine depuis un an.

ANAÏS: C'est un jeu dangereux...

JUNE: Un jeu dangereux dont j'invente les scénarios. J'aime m'évader des prisons, nourrir ma vie intérieure. C'est avec ça que je vais dans le monde, mon amour.

ANAÏS: Henry?

JUNE: Ça lui est égal. Il se fiche bien de ce que je fais du moment que je rapporte de l'argent à la maison, que je le laisse écrire en paix. Les années les plus importantes de sa vie, dit-il. Il va devenir un Shakespeare américain, un nouveau Goethe. Il a l'habitude de mes «bienfaiteurs»... Tant que son rival n'est pas une femme... N'importe qui, un type méprisable, un criminel psychopathe... Une femme! Qu'en penseraient ses amis? Ne vont-ils pas croire que quelque chose cloche en lui?

ANAÏS: En vérité, qui es-tu?

JUNE: Celle qui n'a peur de rien, celle qui a plusieurs visages, une actrice!

ANAÏS: Les hypocrites ont plusieurs visages.

JUNE: Tous mes visages sont parfaitement authentiques. *Angoissée:* Ce qui me donne le trac, c'est que leur nombre va croissant... *Elle lève son verre:* Je bois aux artistes, aux muses, à la littérature!

ANAÏS: Je bois à June!

JUNE, *montrant ses boucles d'oreille, son bracelet:* Jamais personne ne m'a donné d'aussi beaux bijoux. À chaque fois que je les porte, je me sens comme Lazare... *Elle lui embrasse les mains.*

ANAÏS: Celle qui porte son bracelet au bras gauche dépend de ses affections.

JUNE: Tu es née savante! Ce matin encore, je disais à Henry: Anaïs est comme la Bible, elle regorge de miracles...

ANAÏS, *riant:* Qu'a-t-il répondu?

JUNE: Il s'est esclaffé!

ANAÏS: Henry… June… «Deux êtres que je peux admirer. Comme je suis reconnaissante de trouver deux personnes qui m'intéressent sans réserve.»[1]

JUNE: Un jour tu cesseras de t'intéresser à moi. Le royaume terrifiant du hasard!

ANAÏS, *lui tendant des feuillets:* Ton cadeau d'anniversaire!

JUNE: Mon portrait? *Signe d'assentiment d'Anaïs.* Ai-je peur? Non! «Avoir peur c'est ne pas semer à cause des oiseaux.»[2] *Elle se retire pour lire son portrait… Anaïs reprend son journal, écrivant, écrivant… Henry s'approche…*

HENRY, *sur un ton humble:* J'ai lu vos notes, votre portrait de June…

ANAÏS: J'ai lu votre manuscrit… *Elle sort le manuscrit.*

HENRY, *reprenant son manuscrit:* Si elle met la main dessus, je suis un homme mort!

ANAÏS: Si elle met la main dessus, c'est elle qui est une femme morte…

HENRY: Au contraire, je la rends immortelle! J'élève le combat de l'ego, j'irradie l'enfer d'une vie à deux, j'envisage et je raconte la sexualité des hommes comme personne n'a osé le faire avant moi. En fait, je reconnais à June un pouvoir démesuré. Sincèrement, que pensez-vous de mes nouvelles pages?

ANAÏS: Violentes, grossières, cruelles, flamboyantes, torrentielles... Sans doute les pages les plus éloquentes jamais écrites en anglais.

HENRY, *misérable et humble:* Suis-je un écrivain ou un imposteur?

ANAÏS: Vous êtes un écrivain d'une dimension supérieure.

HENRY *s'agenouille devant Anaïs et pose sa tête sur ses genoux:* Je dérive dans le liquide amiotique, je deviens un artiste et je vous vénère...

ANAÏS: Mais vous gâchez votre écriture par des farces rabelaisiennes, des exagérations, une esthétique des égoûts!

HENRY: Vous êtes mon Maître. Je rampe devant vous!

ANAÏS, *ironique:* Comme le boa devant sa proie!

HENRY: Les boas n'ont pas de couilles et moi j'ai les meilleures couilles de la littérature américaine.

ANAÏS, *dans le doute:* Suis-je un authentique créateur? Comme vous, comme Lawrence Durrell, Virginia Woolf, Djuna Barnes, Carson McCullers...

HENRY: Vous n'avez pas le droit d'en douter! *Prophétique et grave:* Quand le monde entier découvrira votre *Journal*, vous entrerez dans la légende. Ce *Journal* prendra place entre «*Les Confessions de St-Augustin, Abélard,* Jean-Jacques Rousseau, Proust»...[3]

ANAÏS: Le *Journal* d'une actrice!

HENRY: Vous y êtes authentique, passionnée! Viendra un temps ou de belles jeunes femmes diront en soupirant: Ah! si je pouvais être l'Anaïs Nin de ma génération...

ANAÏS: Si vous saviez comme je me sens irréelle!

HENRY: Qui êtes-vous?

ANAÏS: Un miroir brisé. *Jouant, parodiant:* Anaïs Nin à New York a coiffé une toque de velours et revêtu une robe couleur magenta pour déjeuner au Jockey-Club... Intensément active sur la scène de la littérature contemporaine, Anaïs Nin, frêle et délicate artiste cosmopolite, porte crânement un chapeau tyrolien quand elle imprime ses oeuvres dans son studio de Greenwich Village... Par une matinée froide, nous avons croisé la Muse, l'amie, la confidente, la mécène de l'underground artistique... Avec une grâce extrême, elle portait un chemisier en soie noire, des brodequins en peau de chèvre... Une apparition... son maintien avait une perfection de fil de plomb! J'avance dans la vie d'un pas qui n'a rien d'original et nul ne se doute que je ne parviens pas à me désembourber de mes masques. Je joue la sainte pour apaiser ma conscience... Mais dans mes rêves, je ne suis qu'une prostituée qui couche avec des ogres, des tyrans, des pères. Dans mes rêves, je ne suis que débauche, luxure et désordre.

HENRY, *se voulant apaisant:* C'est la faiblesse des artistes, si je puis dire, de perdre courage au mauvais moment. Comme vous êtes neptunienne... Vous ne voulez pas laisser la moindre poussière derrière vous. Je suis prêt à remuer ciel et terre, et enfer, pour votre oeuvre! J'ai lu vos notes sur June... Vous parlez de beauté et de poésie...

ANAÏS: Je vous révèle la June que je connais: une femme qui m'inspire, que j'ai envie de suivre partout où elle va.

HENRY: Je suis profondément secoué. Vous lui donnez une dimension humaine mais sublime. Comment faites-vous, sorcière? Je sais maintenant qu'il n'y a pas de limites à ce que vous pouvez écrire.

ANAÏS, *dans un élan, remet à Henry des feuillets... puis hésite une fraction de seconde:* Voilà tout ce que j'ai écrit sur June...

HENRY, *s'empare de tout avec avidité... se met à lire:* Le sol se dérobe sous mes pieds. Vous lui donnez une dimension puissante, brûlante, là où j'en faisais une Sappho pour bibliothèque de gare. *Il s'installe à la table d'Anaïs, fébrile, survolté:* Je vous en prie, laissez-moi seul. J'ai besoin de travailler...

ANAÏS, *soudain inquiète:* Je connais un Henry qui ne se montre jamais dans ses livres; un homme sensible, fragile... Mais j'appréhende le monstre littéraire. *Henry n'écoute plus, il écrit, prend des notes. Anaïs va vers June à l'instant où un homme — qui est Artaud — l'aborde, l'encadre, lui parle, et June se met à rire. Elle s'interrompt quand elle voit Anaïs et se dirige vers elle.*

JUNE, *sur la défensive:* Il m'a abordée... un admirateur, un bienfaiteur... Il peut beaucoup pour ma carrière d'actrice... Je ne veux pas que les projecteurs me flambent... Je veux étinceler longtemps... comme un diamant... comme une star... Tu seras fière de moi!

ANAÏS: Je ne le supporte pas! Je ne le supporte pas!

JUNE: Qu'est-ce que tu ne supportes pas?

ANAÏS: Ma jalousie sans doute...

JUNE: Suis-je responsable des effets de ma sensualité sur les hommes?

ANAÏS: Tu est une allumeuse!

JUNE: Une chercheuse d'or! Tant que je pourrai trouver quelqu'un pour me payer le champagne...

ANAÏS: C'est comme mourir! Je vois ta mendicité…

JUNE: Que veux-tu de moi?

ANAÏS: L'émerveillement d'être en contact avec une femme qui a traversé le pire! Ton soutien, ton énergie, ta passion! Que veux-tu de moi?

JUNE: Une image intacte de moi. *Elle rend ses feuillets à Anaïs.* Ce portrait est inexact, je ne me reconnais pas!

ANAÏS, *blessée:* Parce que tu as de toi-même une image qui ne correspond à celle de personne d'autre!

JUNE: Bientôt vous allez m'accuser de ne pas ressembler à vos portraits! Si je te disais que June a peur de devenir l'ombre de vos portraits…

ANAÏS: Je me sens l'âme malade…

JUNE: Vous essayez de m'épingler comme un papillon dans vos boîtes à littérature, me laissant un souffle pour que je continue à me débattre. Quelquefois je me drogue, je bois, je mens, je triche, je suis de mauvaise foi, mes actes sont contradictoires, mais c'est moi. Moi! *Dans un élan vers Anaïs:* Ne laisse pas Henry te détruire en tant qu'écrivain comme il a voulu me détruire en tant que femme. Il a le goût du sang, il va te manger, t'assimiler et faire encore mieux que toi.

ANAÏS: Je crois en toi. Je crois en lui.

JUNE, *ébranlée:* Tu crois en lui?

ANAÏS, *qui se veut ferme.* Oui.

JUNE, *après un temps de réflexion:* Alors je dois me rendre à l'évidence... Peut-être qu'il le mérite. Allons lui dire qu'il est un grand écrivain... *Anaïs lui prend la main, elles se dirigent vers Henry toujours à la table de travail d'Anaïs, écrivant compulsivement. Au fond, le bienfaiteur, en retrait, observe la scène... June s'approche de Henry:* Je veux te dire... Je veux te demander pardon d'avoir douté...

HENRY, *l'interrompant, d'un ton patient, comme s'il s'adressait à une enfant:* Laisse-moi travailler... Je ne peux pas travailler quand tu es là... Va-t-en!

JUNE, *ramassant habilement et prestement quelques feuillets:* Tu es en train de me rapetisser, hein? *Elle lit.* Ce que tu écris est tellement grotesque et répugnant... Ça doit être héréditaire! Ton écriture a l'énergie d'un cadavre en décomposition! *Elle lance les feuillets.* Je vais me tuer!

HENRY: Tu ne vas pas te tuer, tu vas débarrasser le plancher! *Anaïs ramasse les feuillets...* Qu'y a-t-il entre vous?

JUNE: Tu es mon pire ennemi. J'aurai ta peau!

HENRY, *ignorant June, se tournant vers Anaïs, d'une voix triste et humble:* Qu'y a-t-il entre vous? Êtes-vous éprise d'elle?

ANAÏS: Je ne peux vous répondre sans trahir June...

HENRY: C'est moi que vous trahissez. Vous passez plus de temps avec elle qu'avec moi...

ANAÏS: Ce qui vous permet de travailler en toute tranquillité. N'est-ce pas ce que vous vouliez? *Cinglante:* Ne m'avez-vous pas demandé de vous débarrasser d'elle?

HENRY: Anaïs, ne vous tournez pas contre moi! *Machiavélique:* Un jour, vous avez dit: Si June ne vous aime pas, je le saurai...

JUNE, *bondissant:* Tu m'espionnais? Tu m'espionnais? *Dénégation d'Anaïs.* Une sale espionne! *Elle se range du côté de Henry.*

ANAÏS, *véhémente:* J'ai tout tenté pour vous rendre l'un à l'autre! Henry, dites-le lui! *Henry ne bouge pas.*

JUNE: Pour t'attacher Henry, tu lui livrais mes confidences!

ANAÏS, *tourmentée et triste:* Pourquoi faut-il choisir? Notre champ d'amour est-il si pauvre, si restreint?

JUNE, *vers Henry:* Je sais pourquoi elle est devenue mon amie... Elle voulait en savoir plus long sur ton compte... Elle était jalouse de moi... Elle voulait m'éloigner de toi... C'est la vérité, c'est la vérité...

HENRY, *ébranlé:* Qui manipule qui?

JUNE: Elle a un prénom grec! Les Grecs sont des traîtres!

HENRY: Hier, tu disais tant de bien d'Anaïs...

ANAÏS, *vers Henry:* Elle vous aime, elle vous a choisi... *Vers June:* Je n'ai jamais prononcé le moindre mot contre toi!

JUNE: Suprême habileté! Tu avais peur de perdre Henry en me critiquant. Tu savais qu'il m'aimait plus que toi!

HENRY: C'est toi qui as insisté pour la rencontrer!

JUNE: Curiosité normale: je voulais mettre un visage, un corps...

ANAÏS, *vers Henry:* Moi aussi, j'ai voulu la rencontrer... *Vers June:* Je t'ai admirée dès le commencement... J'ai souhaité être toi!

JUNE, *vers Anaïs, repentante:* Je n'ai jamais prononcé le moindre mot contre toi!

HENRY, *parodiant June:* Suprême habileté! Parce que tu savais que tu étais en compétition avec elle. Mais tu prenais un malin plaisir à faire un mystère de votre relation pour me rendre malade de jalousie... Pour me rendre fou!

JUNE: Je t'ai donné ma vie et tu l'as réduite à la vulgarité. *Elle prend des feuillets du manuscrit et en déchire quelques-uns en pleurant:* Ce n'est pas moi! Ce n'est pas moi!

HENRY, *calme, montrant son manuscrit:* June, ce manuscrit sera publié. Anaïs a trouvé des fonds pour les frais d'impression... Elle va écrire une préface... Notre vie à deux a atteint son terme...

June est assommée... Artaud, l'admirateur-bienfaiteur, se rapproche discrètement, retire son manteau qu'il va plier et porter sur le bras. En-dessous, il est en blouse d'infirmier ou de médecin... June s'adresse une dernière fois à Anaïs et Henry.

JUNE: Qui êtes-vous donc? Il y a quelqu'un debout dans le vent! Quelqu'un qui va se venger! *Elle se tourne vers son bienfaiteur, le prend par le bras:* Allons-nous en d'ici, beau Monsieur... Je suis June, June Smith, une actrice qui aime la vie... parce que c'est tout ce qu'elle a!

Elle sort avec Artaud... Nous revenons au temps du déroulement de la pièce, quatorze ou quinze ans plus tard...

ANAÏS: Chacun de nous avait trouvé une façon de dissimuler la vérité. June était la plus vulnérable… Si facile à démasquer… Sans elle, vous n'auriez peut-être jamais écrit!

HENRY: Sans vous, je n'aurais jamais été publié!

ANAÏS: Toutes les hypothèses sont permises…

HENRY: Vous m'avez aidé à construire le talent avec lequel je suis devenu un écrivain…

ANAÏS: Vous dites qu'elle vous a trompé, trahi, abandonné, tourmenté au-delà de ce qui est supportable… et pourtant «vous vous portez très bien. Vous écrivez des livres sur elle».[4]

HENRY: J'ai été incapable de comprendre la vérité de sa vie… Elle changeait trop souvent de rôle…

ANAÏS: Comme vous! Comme moi! Mais June y mettait plus d'énergie, plus de sincérité. Elle se créait un monde où elle trouvait provisoirement sa place… Puis, il lui fallait tout recommencer…

HENRY: Vous avez sans doute raison: elle m'a gardé vivant! *Il se lève, va partir, hésite.* Je me suis

fait la promesse de revoir Paris avant de mourir...
Tous mes amis... Un pèlerinage aux sources...
C'est là que je vous ai rencontrée... Quand nous allions nous asseoir à la terrasse des cafés, pour refaire le monde, caressés par le vent du printemps...

ANAÏS: Les fleurs des châtaigniers tombaient dans nos verres... Je vivais sur ma péniche, La Belle Aurore... Une vie sur le fleuve avec les mariniers et les grands ormes sur les berges de la Seine...

HENRY: Un courant vital circulait dans nos veines!

ANAÏS: Vous disiez: «Ceci est mon Âge d'or entre deux guerres.»[5]

HENRY: Aujourd'hui, en Amérique, personne ne parle plus à personne. Chaque artiste agite son petit drapeau de propagande, porte des vêtements ahurissants, des lunettes noires, et parle d'argent... Ils ont des têtes de vendeurs d'assurances... *Ils rient...*

ANAÏS, *dans un élan:* Un jour, je vous rendrai visite là-bas, à Big Sur...

HENRY: Votre vieux sage chinois vous y accueillera les bras ouverts... *Il veut partir, hésite...* Quelquefois, dans mes montagnes, face à l'océan, je me surprends à réciter de la poésie:

«Vers qui me tourner?
À qui donc, mais à qui peut-on s'adresser?
À l'ange, non! À l'homme, non!
Et les animaux pressentent et savent
dans leur sagesse,
qu'on ne peut pas s'y fier: que nous n'habitons pas vraiment
chez nous dans le monde interprété...»

ANAÏS, *poursuivant:* «Qui, si je criais, qui donc entendrait mon cri parmi les hiérarchies des Anges?»

HENRY, *poursuivant:* «Car le beau n'est rien autre que le commencement de terrible...»[6]

Henry prend sa valise et se tourne une dernière fois vers Anaïs.

HENRY: Vous savez... il m'arrive de penser que j'ai tué le printemps! *Ils s'embrassent...* Au revoir, Anaïs! *Il sort.*

ANAÏS: Adieu, Henry!

CONVERSATION AVEC LES MOUCHES

Anaïs revient à sa table de travail dans son studio de Californie. Pendant qu'elle écrit, sa mère apparaîtra, incarnée par Artaud, portant des vêtements de femme, de deuil, vêtue à la mode espagnole, mantille et peigne dans les cheveux.

ANAÏS: Anna Kavan s'est suicidée. Le silence qui s'est fait autour de son oeuvre est scandaleux... On me dit que Djuna Barnes est une femme brisée... Là-bas dans son vieux Sud, enchaînée à son adolescence comme une pauvre bête à son poteau...

On entend la voix de la mère, incarnée par Artaud.

ARTAUD: Allô, allô, ma fille, tu n'es jamais là, ma fille.

Anaïs lève la tête et revient aussitôt à son travail.

ANAÏS: Carson McCullers se laisse mourir…

ARTAUD: Qu'est-ce que je voulais te dire? C'est la vieillesse, ma fille, on perd la mémoire, on devient irritable!

ANAÏS: Tennessee Williams se travestit en femme violée, en nymphomane, en hystérique pour donner corps à ses cauchemars…

ARTAUD: Je te téléphone pour te dire que j'ai fait mon testament… On ne sait jamais avec toutes ces migrations, ces guerres… Je te lègue ma machine à coudre et mon dé d'or…

ANAÏS: J'ai été opérée… une tumeur grosse comme une orange… Est-ce cancéreux, docteur?

ARTAUD: … et les nappes brodées du buffet et mes châles. Je ne suis pas riche, je m'inquiète pour toi. *Artaud apparaît.* Penses-tu un jour gagner ta vie avec tes écritures?

ANAÏS, *qui ne regarde pas sa mère:* Ma presse à imprimer a fait faillitte, docteur!

ARTAUD: Drôle de métier pour une femme... Il n'est jamais trop tard pour changer de métier, tu sais...

ANAÏS: Ma presse à imprimer a fait faillitte, la malédiction de l'échec...

ARTAUD, *dans un état de colère:* Comme tu me fais penser à ma mère!

ANAÏS, *toujours sans la regarder:* Je sais, je sais, Mère...

ARTAUD: Un jour, elle s'est enfuie avec un amant, vers une vie d'amants! Aucune dignité! Aucun sens des responsabilités!

ANAÏS, *essaie de se concentrer sur son travail:* ... les critiques jettent des pelletées de terre sur les pelletées de terre de mon travail...

ARTAUD: La nuit dernière, j'ai encore rêvé à notre château en Espagne... Tu te souviens? C'est moi qui l'avais trouvé... Un peu délabré... Bien sûr, tu te plaignais des rats. Mais en Espagne les rats se font souris, (*elle rit*) pour ne pas effrayer les petites filles... Je donnais des cours à l'académie de musique. Ton père nous avait quittées. Tu écrivais dans un journal des choses simples et belles. Pas comme ce livre que tu as consacré à cet horrible D.H. Lawrence. *Méprisante:* Toi… une artiste!

ANAÏS: Comme toi, Mère!

ARTAUD, *rectifiant:* Un professeur pour artistes! Une Mère pour les artistes.

ANAÏS: Tu étais une artiste! Comme j'aimais ta voix claire et belle…

ARTAUD, *coquette:* Tu te souviens… Gabriele D'Annunzio m'avait félicitée pour mon interprétation de vieux chants italiens! Où en étais-je? Ah oui, tu aimes toujours la paella, ma fille?

ANAÏS: Tu as tant de colère…

ARTAUD: La question n'est pas là, ma fille.

ANAÏS, *se levant:* Que veux-tu, Mère?

ARTAUD: Qu'on dépose mon corps dans la terre cubaine. Je veux être enterrée là-bas, à côté de mon père… Dans ma robe de débutante et ma mantille noire… *Elle retire de ses cheveux le peigne…* C'est pour toi, mon peigne en écaille et mon dé d'or… Ma presse à relier, mon oreiller bleu pâle avec un dessin imprimé dessus, mes dentelles…

ANAÏS: C'est comme dispersé, ton âme, Mère!

ARTAUD: Je ne veux pas qu'on ferme la porte à clé. Qu'on laisse tout intact. Tu comprends, ma fille? Je souhaite que mes objets soient dispersés. Ainsi ils continueront à vivre dans la dignité. Tu donneras ma boîte de tombures de dentelles et ma machine à coudre aux religieuses de St-Vincent-de-Paul… Des saintes!

ANAÏS: Ta machine à coudre? Tu me l'avais donnée!

ARTAUD: Qu'en ferais-tu? Je te le demande, ma fille! Tu as renié toutes mes valeurs…

ANAÏS: Tes valeurs! La maternité et la couture!

ARTAUD: Surtout ne pas ressembler à sa mère! Tu as préféré imiter ces gourgandines qui plaisaient tant à ton père, ces allumeuses qui ne laissent derrière elles…

ANAÏS, *l'interrompant:* J'ai hérité de ton instinct de protection envers les êtres humains, Mère! J'ai protégé les faibles et les démunis, les esprits chancelants... J'ai secouru des artistes... *Elle pleure...*

ARTAUD: Pourquoi pleurer? *Elle pleure...*

ANAÏS: Je te vois encore, penchée sur moi, me prenant dans tes bras... Le sifflet des trains dans la nuit... Les cornes de brume... L'Espagne!

ARTAUD: Le soir, avant de t'endormir, tu aimais écouter le «sereno»...

ANAÏS: «Un vieillard avec les clés de toutes les maisons, qui portait une lanterne et chantait... Dormez bien, tout est calme, je veille.»[1] J'ai eu si souvent le sentiment qu'en devenant une artiste, je creusais ta tombe, Mère...

ARTAUD: Pure vanité, ma fille. Les mères sont beaucoup plus résistantes que vous le pensez! *Un temps, elle ferme les yeux, semble écouter intensément:* J'entends les rires que nous ne rirons plus ensemble sur la terre... Un jour, dans l'éternité, nous les rirons sans que personne ne le sache!

ANAÏS: J'aurais dû remarquer que tu étais plus silencieuse que d'habitude... Avoir une prémonition... Comprendre que c'était la dernière fois!

ARTAUD: Qui pourrait supporter ça, ma fille!

ANAÏS: Pourtant «c'est dans cette ignorance que se prépare la source de nos souffrances pour plus tard».[2]

ARTAUD: La crainte d'être accablée de remords... Vision de l'enfer!

ANAÏS: J'ai tellement voulu me rapprocher de toi... Te dire combien je t'aimais...

ARTAUD: Personne ne t'en empêchait, ma fille!

ANAÏS: Quelque chose m'en empêchait... En toi, en moi... Les vivants font souvent obstacle à la tendresse... Les morts, jamais!

ARTAUD: Mais tu as ton journal, ma fille... Ça te permettra toujours de jeter un regard sur les vieilles blessures avant qu'elles ne se cicatrisent...

ANAÏS: Ta mort sera toujours une peine aussi grande qu'un coup de couteau.

Artaud disparaît derrière l'écran. Anaïs va chercher un drap noir et elle enveloppe la presse du drap. L'analyste apparaît derrière un écran, incarnée par June. Elle porte un tailleur, elle est chic, réservée et chaleureuse. Il y a entre elles beaucoup d'empathie.

ANAÏS: Je veux me confesser, docteur...

JUNE: Vous avez rêvé de femmes chinoises aux pieds bandés...

ANAÏS: Spirituellement, je me suis mutilée...

JUNE: Vous êtes épuisée...

ANAÏS: C'est la débâcle, docteur!

JUNE: Vous en faites trop...

ANAÏS: Fatalité!

JUNE: Culpabilité!

ANAÏS: J'avais une presse à imprimer... Elle fonc-

tionnait comme les machines à coudre d'autrefois...
Avec une pédale... *Elle pleure.* Je suis possédée...
L'esprit de ma mère est entré en moi... J'entends
son fantôme marcher à travers les plafonds... Sou-
pirer à travers les murs... Je l'entends pleurer dans
l'eau qui coule du robinet... Ma Mère, ayez-moi en
votre pardon! Délivrez-moi, docteur!

JUNE: Un exorcisme... Un vaudou...

ANAÏS: Elle emprunte ma voix pour vous parler...
Elle se pare de moi... Je deviens rebelle, irritable...
Je suis pleine de colère, comme elle!

JUNE: Viendra un jour où vous accepterez tranquil-
lement de vieillir et de mourir. Cette peur, cette ré-
sistance s'en iront à pas lents, comme les nuages...

ANAÏS: Débarrassez-moi de ma culpabilité!
Donnez-moi l'absolution!

JUNE: Racontez-moi votre dernier rêve défendu...

ANAÏS: Il y a trente ans, à New York, c'est toujours
ce que je disais à mes patients... Racontez-moi vos
derniers rêves... Les voix des malades... tristes,
brisées, lasses... «Un jour, je vis couler tant de lar-

mes, qu'en trouvant une mare près de ma porte je crus d'abord que c'étaient tous les pleurs, puis j'aperçus le parapluie qu'on avait laissé pleurer sur le tapis.»[3] En ce temps-là, j'étais l'analyste, la muse, la mécène, la mère, la fille, l'amante et l'artiste. Une multinationale, docteur!

JUNE: Racontez-moi votre dernier rêve...

ANAÏS: J'ai rêvé que je publiais le *Journal*...

L'éclairage baisse sur June, et Artaud fait irruption, déguisé en journaliste... C'est un insecte féroce, bardé d'appareils. Il porte encore des traces de maquillage de la mère.

ARTAUD, *agitant les bras, effrayé:* Mais c'est plein de mouches ici, Madame! Vous conversez avec les mouches?

ANAÏS: Il est tard, Monsieur le journaliste, et je suis fatiguée...

ARTAUD: «Vous savez, vous, ce que c'est qu'une mouche? C'est la pensée instantanée de quelqu'un qui est loin de vous et vous veut du mal...»

ANAÏS: «Le déclic de la mauvaise pensée d'autrui?»[4]

ARTAUD: Oui, Madame! Il y a sur la terre, quatre milliards de mouches qui passent leur temps à pomper nos vies... À s'emparer de nos consciences...

ANAÏS: Vous parlez comme Antonin Artaud... Sa souffrance était véritable...

ARTAUD: Qu'il repose en paix! Ses livres sont des mines à thèses... Quel sujet en or pour une notice nécrologique... Un des grands plaisirs de mon métier, la notice nécrologique! Je n'écris que sur des écrivains dont on peut prévoir la mort à court terme! Dès qu'une défaillance ou une maladie mortelle sonne l'alerte, je prépare un article de fond. Un journaliste sérieux n'improvise pas en face de la mort! Il ne faut jamais se laisser surprendre: il meurt, je suis prêt. Des éloges, des compliments qui, s'il avait été vivant, l'auraient littéralement enchanté et rassuré sur la valeur de son oeuvre. Vanité des vanités, tout n'est que vanité! Alors, vous écrivez des romans? Personne ne lit plus de romans, Madame!

ANAÏS: Hitler n'a jamais lu de romans, dit-on!

ARTAUD: Le romancier, **sauveur** de l'humanité! Ma petite dame, des écrivains, j'en fais un par semaine pour mon journal... Ils défilent devant moi comme les divers animaux vedettes d'un jardin zoologique: ce que dit la guenon est contredit la semaine suivante par le gorille! *Il s'esclaffe.*

ANAÏS: C'est en dépeçant des bêtes que vous avez appris à faire des interviews?

ARTAUD, *s'esclaffant:* Mais on a de l'intuition! C'est vrai, mon père était boucher... Revenons à nos moutons: vous avez écrit un roman, paraît-il?

ANAÏS, *estomaquée:* Vous ne l'avez pas lu?

ARTAUD: Mais j'ai lu les critiques... qui vous mettent en pièces! Vous ne serez jamais un écrivain européen populaire, Madame!

ANAÏS, *fataliste:* En France on dit que je suis un écrivain américain... En Espagne, que je suis un écrivain français et en Amérique, que je suis un écrivain européen... Prisonnière de vos catégories!

ARTAUD, *avec emphase, pour se moquer:* Victime de l'incompréhension!

ANAÏS, *dans un état de colère:* Pourquoi vous tolère-t-on? Vos lecteurs sont des voyeurs, Monsieur: ils vous regardent planter vos couteaux dans l'artiste vivant, dans ses luttes, ses passions…

ARTAUD: Mes lecteurs, Madame, aiment les démonstrations insultantes et le sadisme!

ANAÏS: J'ai vu danser Martha Graham… j'ai écouté la voix mythique de Ima Sumac… mais aujourd'hui, je me sens seule dans un monde hostile!

ARTAUD: Votre presse a fait faillite… À combien tiriez-vous?

ANAÏS: À trois cents exemplaires…

ARTAUD: L'éditeur de Miller, de Mailer, tire à trente mille! Pourquoi s'imprimer soi-même…?

ANAÏS: Pour lutter contre la fatalité et la dépression. Pour échapper aux refus grossiers des éditeurs américains! Je n'admettais pas que l'Amérique se débarrasse de moi comme si j'étais morte… Artiste déracinée, j'ai cherché à créer un centre, un lieu de merveilles qui touche à l'air du temps… Un îlot… Ma presse! Imprimer un livre… Choisir le papier, un papier feuillu comme une haie et l'encre qui va s'y verser comme coulent les fontaines... Choisir les caractères, vibration des formes qui diront tout ce qui nous fait paroles et visions avant que la mort l'emporte. Trois cents exemplaires... Mais je connaissais chacune et chacun de mes lecteurs. Trois cents exemplaires que je vendais moi-même, Monsieur... Le contact, l'intimité, un instant de répit... Je nourrissais mes lecteurs et en retour, ils acceptaient de me nourrir de mon vivant...

ARTAUD: Et maintenant?

ANAÏS: J'ai trouvé un petit éditeur avec qui je me suis associée. Il publie uniquement les écrivains qu'il aime et qu'il admire...

ARTAUD: Il est sans doute contre les gros éditeurs qui, eux, réussissent à vendre des livres?

ANAÏS: C'est vrai qu'il ne se préoccupe pas uniquement de tirage et de rentabilité mais rien dans ses propos ne donne à entendre que les éditeurs commerciaux ne doivent pas exister...

ARTAUD: Un idéaliste!

ANAÏS: Mais comprenez donc que les petits éditeurs protègent les écrivains de la minorité. Sans eux, les écrivains ne pourraient pas survivre. Vos journaux ne parlent jamais des petites maisons d'édition qui font peu de compromis, prennent des risques. Elles ont bien souvent lancé des livres qui se retrouvent, quelques années plus tard, au catalogue d'un gros éditeur. Vos journaux préfèrent entretenir le mythe de l'écrivain best-seller...

ARTAUD: Pourtant, il n'en tient qu'à vous, Madame...

ANAÏS: De quoi parlez-vous, Monsieur le boucher?

ARTAUD: Je parle de votre *Journal!* Voilà une entreprise lucrative... Un matin ensoleillé, alors que je regardais par la fenêtre, j'ai vu passer la rumeur de votre *Journal...* Ce n'était encore qu'un murmure... Un souffle... Une brise légère... Mais une heure après, c'étaient des chuchotements fiévreux! Deux heures après... Une conversation... Des tremblements! Les rumeurs vieillissent vite, Madame... et nous, nous ne rajeunissons pas... Au revoir, Madame... Vous me lirez bientôt...

Il sort en chassant les mouches. L'éclairage remonte sur l'écran derrière lequel se trouve l'analyste.

dixième tableau

VÉNUS SURRÉELLE

L'éclairage remonte sur l'analyste. Anaïs se retrouve à la même place qu'au moment où elle l'avait laissée. La conversation se poursuit.

ANAÏS: J'ai rêvé que je publiais le *Journal*... j'ouvrais la porte et je me désintégrais comme une fumée dans le soleil, frappée par des radiations mortelles...

JUNE: Un éditeur s'intéresse enfin à votre *Journal?*

ANAÏS: Il est plein d'enthousiasme, de bonne volonté. Mon agent littéraire me presse...

JUNE: Que craignez-vous?

ANAÏS: Les critiques littéraires on toujours traité mon travail avec tant de mépris... Que feront-ils au *Journal?*

JUNE: Et votre mère?

ANAÏS: Si elle était vivante, elle en désapprouverait la parution. Après sa mort, j'ai voulu devenir une bonne fille: j'ai fait semblant de m'intéresser à la couture, à la broderie... Mais ma seule tapisserie, c'est mon *Journal!* Lavez-vous les chemises de votre mari, de votre amant, docteur?

JUNE: Oui... J'essaie de trouver du temps...

ANAÏS: Moi, jamais. Je vole le temps des hommes... Quel rire secret dans mon coeur, quel phosphore dans mes veines quand je vole le temps des hommes pour écrire. Un jour, pour se venger, mon amant marxiste a brûlé les exemplaires de mes livres pour que je cesse de rêver. Un jour, j'ai donné ma machine à écrire à Henry qui se plaignait de manquer de tout: il l'a mise en gage pour dépenser l'argent à boire avec June. Je vais brûler le *Journal,* retourner vivre à Paris sur une péniche...

JUNE: Si le *Journal* paraît, que craignez-vous le

plus?

ANAÏS: Le *Journal*... C'est la boîte de Pandore, docteur. Quand l'Amérique l'ouvrira, s'en échapperont la provocation, le péché, le narcissisme, le scandale...

JUNE: ... la beauté, l'éloquence, la richesse, la musique, le frémissement... N'oubliez pas que dans la fable, Pandore eut l'adresse de retenir l'espérance...

ANAÏS: J'ai peur de blesser par des révélations indiscrètes...

JUNE: Mais puisque vous allez consulter les personnes concernées et faire les coupures qu'elles exigent! Je sais qu'il est dans votre tempérament de vous attacher à l'aspect créateur et bénéfique des êtres. Le *Journal* est votre quête de la connaissance et de l'illumination!

ANAÏS: Mon autodéfense contre la malveillance! Si vous saviez combien je suis lasse de cacher le *Journal*. Ce que j'ai écrit de plus fort se trouve là!

JUNE: Je le pense aussi...

ANAÏS: Quand il s'agit de l'oeuvre d'une femme, l'Amérique puritaine fait régner le terrorisme! Cette lutte est une usure, docteur...

JUNE: Depuis toujours, en dépit de vos craintes, vous n'avez jamais manqué de courage et d'audace...

ANAÏS: Mais cette fois je serai mise à mort et jetée dans le pourrissoir avec toutes mes chairs... Momifiée pour les générations futures! Conservée en entier, avec mes grains de beauté, mes pieds palmés et mon vagin desséché...

JUNE: Vos craintes viennent surtout du passé... Elles sont engendrées par le passé...

ANAÏS: Les Chinois disent que le futur n'est que l'ombre du passé...

JUNE: Culpabilité! Les jugements que les autres portent sur nous creusent quelquefois des sillons profonds... Le sillon se creuse de plus en plus pour «recevoir seulement les insultes et les trahisons.»[1]

ANAÏS, *fébrile, survoltée, jouant:* Anaïs! Anaïs! Vous venez d'une Atlantide disparue, disaient mes admirateurs… Vous êtes à la fois la Sybille, le serpent à plumes, Aphrodite, l'écume et la marée, ajoutaient mes admirateurs! *Moqueuse:* En êtes-vous certains? disais-je… ne suis-je pas plutôt la Vénus surréelle, traîtresse et malicieuse? Ou peut-être l'émanation post-mortem de la Vénus repentante avec son cortège de flagellants? Oui, oui, c'est en plein ça, disaient mes admirateurs! *Un temps…* Dans leur univers, tout est blanc ou tout est noir, docteur… *S'enflammant:* Alors que moi, je dis que je suis Rouge et Fondamentale! Le Feu de Vénus appartient à Vénus, le mercure des philosophes, la matière même de la lumière… Et c'est moi qui distille les liqueurs les plus fortes, les plus ardentes, les plus enivrantes, docteur!

JUNE: Votre *Journal* est une eau-de-vie, Anaïs!

ANAÏS, *riant:* Tout ça n'est pas très catholique!

JUNE: Tout ça n'est pas très féminin!

ANAÏS: Dans le *Journal,* je mets mon père en accusation!

JUNE: Ce n'est pas un péché… Il n'y a pas de fautes à expier.

ANAÏS: Ah! docteur... Les petites craintes personnelles des femmes... J'ai plus de soixante ans et parce que mes livres n'ont aucun succès, aucune critique positive — sauf en France — je tremble encore quand ces Sphinxs constipés posent l'unique question: est-ce commercial? Le succès... le succès... Quelle compensation pour la culpabilité... même si la plupart du temps le succès n'est qu'un racket!

JUNE *va partir:* Vivre en Californie vous plaît toujours?

ANAÏS: À New York, la vie est dominée par la réussite... Ici, par le soleil! La Californie me rappelle souvent l'Espagne... Déjà une constellation d'amitiés se dessine... révolution des relations ainsi que celle des astres dans le ciel... Je guérirai, je retrouverai mes forces parce que j'ai encore des réserves de songes...

JUNE: Je connais votre radar psychique, Anaïs... vous capterez bientôt des messages du monde entier, des étoiles...

ANAÏS, *riant, heureuse:* De vieilles étoiles avec leurs cheveux blancs! Nous vieillirons ensemble...

JUNE: La publication du *Journal* vous mettra en contact avec l'univers...

ANAÏS: Qui suis-je, docteur?

JUNE: «Cela porte un beau nom: civilisation.»[2]

Elles s'embrassent et June s'en va.

onzième tableau

ANAÏS, DANS LA QUEUE DE LA COMÈTE

Anaïs revient vers sa table de travail dans son studio de Californie.

ANAÏS: J'ai été opérée d'une tumeur grosse comme une orange… Est-ce cancéreux, docteur? Vont-ils m'enterrer vive, docteur? Il est trop tôt pour se prononcer, Madame! Mais nous progressons, nous progressons… Docteur, docteur, je cherche un emploi! Comme j'aimerais travailler dans votre banque de plasma… J'ai toujours rêvé de travailler dans une banque… C'est solide… On est à l'abri des tremblements de terre, des raz de marée de l'angoisse…
Anaïs range ses papiers sur son bureau.
Ces dernières années furent si belles, si pleines… J'ai visité le Japon, le Cambodge, la Thaïlande, le Maroc, Tahiti… Au-dessus des jardins, des champs

de fougères, j'ai vu les plus belles lumières de la terre tomber ainsi qu'une pluie d'or... J'ai vu une forêt de bouleaux en avril et le retour des oies sauvages... Quand j'étais à Bali, j'ai fait un voeu: (*l'éclairage commence à changer pour former un rond lumineux au milieu de la scène*) «Celui de pouvoir penser à la mort comme y pensent les Balinais, un envol vers une autre vie, une transformation joyeuse, une libération pour notre esprit qui peut ainsi se tourner vers toutes les autres vies.»[1]

Musique électro-accoustique.

ANAÏS: Bonjour Cobalt 60! Dites-moi, machine, guérissez-vous des défaites? Comblez-vous cette faim inépuisable de souffrances et de liberté? Tolérez-vous les contradictions? Machine, pourquoi êtes-vous si étincelante? *Anaïs se lève. Elle reste près de son bureau.* C'est une étoile fixe, plantée sur la terre. Écoutez... *On entend un murmure, un ronronnement sortant de la machine...* Elle rêve à haute voix! Elle rêve au soleil, aux comètes, au temps perdu... *La machine rêve un peu plus fort. Temps.* Oh! le mystère des amitiés manquées... L'oeil du cyclone... L'idée même de combattre le cancer est à la limite de l'agression... Je suis vaincue... Je ne veux plus nager... Je dois faire un effort pour me relever quand je me penche trop long-temps sur ma correspondance... Polariser tout mon esprit sur la machine!... Non! J'ai besoin de penser au dernier tome du *Journal,* à mes amis, à toutes ces lettres que... Ma solitude avec cette machine. J'entends ses avertissements... *Anaïs lentement s'approche de la source de lumière.* Elle me parle de ceux qui sont passés par là avant moi et qui sont morts! Qu'y a-t-il là-bas? L'effrayant silence où nous finissons peut-être tous... Je ne veux plus mé-diter... Je veux entendre ce que j'aime le plus au monde... La musique! Pour la merveille de nos coeurs, il y a la musique... «Tout au long de ma vie, le fil le plus continu, le plus vital, celui qui ne s'est jamais cassé, a été le fil de l'amour et de la musique.»[2] Schubert... Satie... Debussy... Beetho-ven... *Temps.* Debussy! *Elle se couche dans le rond de lumière.* Quel est le sujet de méditation au-jourd'hui? *Elle sort un peigne. L'éclairage com-mence à baisser. On entend le murmure de la ma-chine et peu à peu, la musique de Debussy... puis le répondeur qui s'enclenche après une brève sonnerie téléphonique...*

LE RÉPONDEUR, *(voix d'Anaïs):* «C'était le temps inoubliable où nous étions sur la terre...»[3] Oui, oui, c'est moi, Anaïs Nin, qui vous parle... Vous êtes branché sur mon coeur électronique, mon coeur d'Amérique... Au revoir, au revoir, au revoir, au revoir, au revoir, au revoir,... *La voix va en s'affaiblissant, c'est le NOIR, on entend la musique de Debussy...*

RÉFÉRENCES DE L'AUTEURE

PREMIER TABLEAU: MA MÈRE, AYEZ-MOI EN VOTRE PARDON
1. Carson McCullers, «La Balade du café triste», in la revue *Masques,* no 21, printemps 1984.
2. Anaïs Nin, *Ce que je voulais vous dire,* Paris, Stock, 1981, p. 236.

DEUXIÈME TABLEAU: LE HÉROS, C'EST L'ARTISTE
1. Élie Faure.
2. Anaïs Nin, *Journal 1931-1934,* tome 1, Paris, Stock, 1969, p. 277.
3. Anaïs Nin, *Journal 1947-1955,* tome 5, Paris, Livre de poche, 1974, p. 167.

TROISIÈME TABLEAU: DEUX GORGONES FABULEUSES
2. Anna Kavan, *Demeures du sommeil,* Paris, Veyrier, 1977, p. 37.
2. Anaïs Nin, *Journal 1931-1934,* tome 1, Paris, Stock, 1969.

QUATRIÈME TABLEAU: LA DANSE DE MORT
1. Henry Miller, *Printemps noir,* Paris, Gallimard.

CINQUIÈME TABLEAU: LA NUIT DE CRISTAL
1. Anaïs Nin, *Journal 1934-1939,* tome 2, Paris, Stock, 1970, p. 325.
2. *Ibid.,* p. 365.
3. «Advice to the officers of the British Army», Général Wellington.
   * Kacher: propre à la consommation. Goniff: sale type, pourri.

SIXIÈME TABLEAU: PUBLISH OR PERISH
1. Anaïs Nin, *journal 1934-1939,* tome 2, Paris, Stock, 1970, p. 158.
2. Anaïs Nin, *Journal 1931-1934,* tome 1, Paris, Stock, 1969, p. 320.
3. Otto Rank, *Le Traumatisme de la naissance,* Paris, Payot, 1976.
4. Anaïs Nin, *Journal 1934-1939,* tome 2, Paris, Stock, 1970, p. 25.
5. *Ibid.,* p. 73.
6. Jacques Prével, *En compagnie d'Antonin Artaud,* Paris, Flammarion, 1974.
7. Anaïs Nin, *Journal 1934-1939,* tome 2, Paris, Stock, 1970, p. 61.
8. *Ibid.,* p. 169.
9. Extrait d'un poème de Robert Graves, in *La Déesse blanche,* Éditions

du Rocher, 1979.

SEPTIÈME TABLEAU: JOURS TRANQUILLES À NEW YORK
1. Anaïs Nin, *Journal 1955-1966,* tome 6, Paris, Livre de poche, 1977, p. 164.

HUITIÈME TABLEAU: LE CHANT DES SIRÈNES
1. Anaïs Nin, *Journal 1931-1934,* tome 1, Paris, Stock, 1969, p. 73.
2. Proverbe oriental.
3. Henry Miller, (extrait d'une lettre).
4. Anaïs Nin, *Journal 1931-1934,* tome 1, Paris, Stock, 1969, p. 55.
5. *Ibid.,* p. 133.
6. Rainer Maria Rilke, *Les Élégies de Duino, première élégie,* tome 2, Paris, Seuil, 1972.
ris, Seuil, 1972, p.

NEUXIÈME TABLEAU: CONVERSATION AVEC LES MOUCHES
1. Anaïs Nin, *Journal 1947-1955,* tome 5, Paris, Livre de poche, 1974, p. 120.
2. *Ibid.,* p. 287.
3. Anaïs Nin, *Journal 1931-1934,* tome 1, Paris, Stock, 1969, p. 29.
4. Jacques Prével, *En compagnie d'Antonin Artaud,* Paris, Flammarion, 1974, p. 29.

DIXIÈME TABLEAU: VÉNUS SURRÉELLE
1. Anaïs Nin, *Journal 1955-1966,* tome 6, Paris, Livre de poche, 1977, p. 130.
2. Gérard-Humbert Goury, «Trois ladies américaines», in *Le Nouvel Observateur,* 18 février 1983.

ONZIÈME TABLEAU: ANAÏS, DANS LA QUEUE DE LA COMÈTE
1. Anaïs Nin, *Journal 1966-1974,* tome 7, Paris, Stock, 1982, p. 434.
2. *Ibid.,* p. 438.
3. Jean Supervielle, *Poésie,* Paris, Gallimard.